NINA TARGINO

MULHERES RENDIDAS AOS PÉS DE JESUS

MC
mundocristão
São Paulo

Publicado por Editora Mundo Cristão

Os textos das referências bíblicas foram extraídos da *Nova Versão Transformadora* (NVT), da Editora Mundo Cristão, salvo indicação específica. Usado com permissão da Tyndale House Publishers, Inc. Eventuais destaques nos textos bíblicos e citações em geral referem-se a grifos da autora.

CIP-Brasil. Catalogação na Publicação
Sindicato Nacional dos Editores de Livros, RJ

T192m

Targino, Nina
Mulheres rendidas aos pés de Jesus / Nina Targino. - 1. ed. - São Paulo: Mundo Cristão, 2017.
160 p. ; 21 cm.

ISBN 978-85-433-0239-3

1. Mulheres no Cristianismo. 2. Mulheres - Vida religiosa. I. Título.

17-41704 CDD: 248.843
CDU: 27-584-055.2

Categoria: Inspiração

Publicado no Brasil com todos os direitos reservados pela:
Editora Mundo Cristão
Rua Antônio Carlos Tacconi, 79, São Paulo, SP, Brasil, CEP 04810-020
Telefone: (11) 2127-4147
www.mundocristao.com.br

1ª edição: julho de 2017

A todas as mulheres que um dia se renderam aos pés de Jesus para que pudessem alcançar a verdadeira vitória. Que o Senhor lhes dê força e coragem para continuar a caminhada.

A todas as mulheres espalhadas pelo mundo que ouviram sobre Jesus, mas ainda estão na batalha em busca da verdadeira rendição aos seus pés. Que o Senhor as acolha com sua graça, sua misericórdia e seu infinito amor.

A todas as mulheres que não tiveram a oportunidade de ouvir falar que Jesus é o Senhor, o Deus que salva, cura e liberta. Vocês são um dos fortes motivos para que eu me prostre aos pés do Senhor em oração.

Disse ele à multidão: "Se alguém quer ser meu seguidor, negue a si mesmo, tome diariamente sua cruz e siga-me. Se tentar se apegar à sua vida, a perderá. Mas, se abrir mão de sua vida por minha causa, a salvará".

Lucas 9.23-24

Sumário

Agradecimentos

A Deus, por nos dar Jesus e me confiar este livro, que foi sussurrado pelo Espírito Santo ao meu coração.

Às mulheres rendidas aos pés de Jesus que passaram por minha vida. Todas me ajudaram e ajudam a construir uma história de fé, ganhos, esperança e muitas alegrias.

À minha família, pelas orações e por acreditar que cada livro seria possível. Só meus amados familiares são testemunhas de como eu escrevo.

Às Déboras, minhas parceiras de jornada, guerreiras que cobrem a minha vida de oração. Obrigada, meninas, vocês me inspiram com sua vida!

À minha amiga Barbara Burns, que abriu meus olhos para as mulheres rendidas aos pés de Jesus — assim como ela.

Ao meu editor, Maurício Zágari, e a cada um que faz parte da Editora Mundo Cristão, pela confiança e pelo apoio. Eu não tinha ideia de que poderia escrever livros. E não é que eles ouviram primeiro que eu a voz do Senhor? Pessoal corajoso!

Apresentação

A cultura em que vivemos não estimula a rendição. Aos olhos da sociedade ocidental, render-se é ser derrotado e sair por baixo, é sinal de inferioridade e pequenez. O exército que se rende é o perdedor. O lutador que se rende sai de cabeça baixa. Já pelos padrões bíblicos, é o contrário: se não nos rendemos a Cristo, nunca seremos vitoriosos.

A verdadeira vitória do cristão é a vida eterna, obtida unicamente por aqueles que se achegam a Jesus em total rendição — rendição da vontade, dos sonhos, dos planos, do ego... de tudo. Vencer, em linguagem bíblica, é fazer o que Cristo ensinou: "Se alguém quer ser meu seguidor, negue a si mesmo, tome sua cruz e siga-me" (Mt 16.24). Sim, as boas-novas de nosso Senhor bradam: dispa-se de tudo para ser vestido de glória; humilhe-se para ser exaltado; perca para ganhar! A lógica celestial dá um nó nos neurônios de qualquer pessoa que pensa com uma mente puramente terrena e considera a rendição uma derrota.

Nina Targino compreendeu essa realidade. Por isso, foi buscar na vida de mulheres que se renderam a Cristo a sabedoria que edifica. Mais do que isso: Nina recorreu ao relato bíblico de mulheres que, ao se render, o fizeram no pódio da humildade: os pés do Senhor. Isso fala de uma postura de total submissão, confiança, entrega e amor. Tal como essas mulheres, todos precisamos fazer assim também.

Nina tem realizado um trabalho belíssimo à frente do Desperta Débora, ministério que tem como foco estimular mães a orar por seus filhos. Sua influência sobre milhares de mulheres tem contribuído de maneira incalculável para a edificação da Igreja. Nina tem sido a regente de um coral de milhares de vozes femininas que se dirigem ao Senhor, em clamor e intercessão, todos os dias, de todas as partes do país. Ao fazer isso, essa paraibana destemida conduz a uma rendição total ao Senhor Jesus um enorme exército de mulheres que marcha de joelhos.

Com sua vida e sua ação à frente do Desperta Débora, Nina demonstra que, mais do que apenas compreender a realidade da rendição bíblica, ela a vive intensamente. Por essa razão, *Mulheres rendidas aos pés de Jesus* transborda vivência e conhecimento. A Mundo Cristão tem a alegria de publicar este terceiro livro de Nina, com a certeza de que a obra tem muito a somar à Igreja no Brasil.

Boa leitura!

Maurício Zágari
Editor

Prefácio

Caminhar com Nina Targino pelas páginas de *Mulheres rendidas aos pés de Jesus* foi como abrir a Internet e localizar *websites* com nomes conhecidos, mas cujo conteúdo está sempre se renovando. Cada vez que lemos suas histórias, aprendemos novas lições, pois a Bíblia é dinâmica. A autora nos leva a observar cada mulher apresentada neste livro, perceber como se rendeu a Jesus e descobrir como sua vida ficou marcada para sempre.

A autora usa o termo "rendida", palavra que deriva do verbo "render", que, em latim, significa "devolver", "entregar em contraposição a tomar". Rendida é a pessoa que não tem vontade própria, vencida, dominada, cativa, que foi substituída por outrem. Tudo ao contrário do que deseja a mulher de nossos dias. Torna-se um contrassenso dizer às mulheres que se rendam quando a sociedade hodierna desafia à conquista, ao "empoderamento", ao sucesso.

Mas é exatamente aí que está o segredo. O desafio não é se render a ideologias, grupos políticos ou carreiras de sucesso, mas a Jesus Cristo. A autora apresenta oito "*websites*" bíblicos em que cada mulher citada obtém as vitórias desejadas ao se render aos pés de Jesus. Todas elas nos dão lições de como se render sem se anular, mas confiando que Jesus — que nos conhece por dentro e por fora — sabe o que é melhor para cada uma de nós. Assim, a autora pinça oito casos diferentes e salienta em cada um uma virtude que podemos aprender com essas mulheres maravilhosas que tiveram seus relatos eternizados na Palavra.

Nina começa com Maria Madalena, mulher liberta de demônios que tem o privilégio de ser uma das testemunhas da ressurreição de Jesus. Ela vê a pedra removida. Naquele tempo, uma mulher jamais seria testemunha em um processo judicial, por causa do preconceito social, mas Maria tem o privilégio de testemunhar a presença do Cristo ressurreto. De prisioneira, ela se torna livre no momento em que se rende a Jesus. Com ela, aprendemos a lição da santidade.

Depois, Nina apresenta Maria, a mãe do Senhor. Como explicar à sociedade a gravidez de uma mulher solteira? No entanto, Maria obedece. Ela será sempre lembrada como a mulher mais importante da história, por ter dito "sim" a Deus. Com ela aprendemos a lição da obediência.

Nina "acessa o *website*" de duas irmãs, Marta e Maria, e mostra o valor de estabelecermos prioridades corretas na hora certa. Enquanto Maria aproveita para estar aos pés de Jesus e aprender mais, Marta está preocupada com as tarefas domésticas. Ao ler a história dessas irmãs, aprendemos a reconhecer as prioridades. E como temos de aprender sobre prioridades! Essas duas irmãs nos ensinam sobre aprendizado.

Em seguida, a autora aborda a parábola do juiz e a viúva, a qual, pela sua insistência, recebe o que pleiteia. Essa mulher, cujo nome não sabemos, nos ensina a perseverar e a não desistir de nossas causas. Muitas vezes deixamos de lutar por achar que não teremos a vitória e, por essa razão, acabamos desistindo. Com ela aprendemos a importância da oração.

Outro "*website*" acessado é a da mãe cananeia, que pede a cura da filha doente. Mulher simples, sem muitos conhecimentos, mas dona de uma fé invejável. O Senhor cura a sua filha ao enxergar a fé que há no coração daquela senhora, uma mulher que se rendeu aos pés de Jesus e saiu vitoriosa. Fé é a lição que aprendemos com essa mulher.

Em seguida, Nina entra no "*website*" de uma mulher flagrada em adultério, que é exposta diante de todos a fim de ser penalizada conforme ditava a Lei. Jesus, calmamente, desafia quem não tem pecado a atirar a primeira pedra. O resultado é que ninguém fica para ver o que poderia acontecer. Todos vão embora. Jesus olha para aquela mulher, a perdoa e a desafia a não pecar mais. Perdão é a lição que esse encontro nos apresenta.

Nina prossegue, apresentando a mulher com hemorragia. Ela não pode chegar perto de ninguém por estar contaminada, mas vai por trás, toca o manto de Jesus e se sente curada. Só ela e o Senhor podiam testemunhar disso: ela, porque sentiu estancar o sangue, e ele, por sentir poder saindo para alguém de fé. Coragem é a lição que aprendemos com essa mulher que venceu os preconceitos.

O texto chega ao fim com a narrativa da mulher samaritana e sua conversa com Jesus junto ao poço. Ela buscava água; Jesus lhe oferece água da vida. Até ela compreender o que ele quer dizer, são muitas perguntas, mas, com paciência, Cristo responde a cada uma. Curiosa, a samaritana quer explicações, e Jesus não as economiza. Com isso, o Mestre vence dois preconceitos: o que impedia um homem de falar com uma mulher em público e o que fazia os samaritanos serem vistos como povo impuro e "inimigo" dos judeus. Jesus não se importa com isso e nos ensina nessa conversa o valor da reconciliação.

Oito lições aprendidas. Veja com qual delas você se identifica ou qual lhe ensina a lição que mais precisa aprender. Convido você a ler o texto bíblico, de preferência em versões diferentes, e apreender os ensinamentos que a autora caprichosamente expõe nas páginas deste livro. Com certeza, você será beneficiada, porque mulheres rendidas aos pés de Jesus podem mover o mundo. Você quer fazer parte desse time? Então, mãos à obra!

Nancy Gonçalves Dusilek
Membro da Academia Evangélica de Letras do Brasil

Introdução

Este livro nasceu de uma profunda sintonia com o Senhor, uma conexão tão grande que sinto como se eu fosse uma estudante que escreve no caderno aquilo que seu professor dita em sala de aula. Tudo começou quando, em certa madrugada, ele pôs o título *Mulheres rendidas aos pés de Jesus* em meu coração. Sem saber que aquilo acabaria resultando em uma obra literária, comecei a orar e a meditar no que significaria. Pouco a pouco, Deus semeou em meu íntimo o nome de cada personagem da Bíblia que se encaixa nessa definição. Algo que aprendi em minha jornada com Cristo é que Deus não faz nada por acaso. Portanto, fui fazendo anotações e deixando-as arquivadas, esperando o momento certo para transformá-las em conteúdo que viesse a edificar vidas. E, enfim, esse dia chegou. O resultado é o livro que você tem em mãos.

Deus tem expectativas a respeito de cada uma de nós, mulheres: ele quer que nos rendamos aos seus pés. Como servas do Senhor, devemos estar ansiosas para corresponder-lhe, segundo diz a Palavra: "Depois, chamou a multidão e os discípulos e disse: 'Se alguém quer ser meu seguidor, negue a si mesmo, tome sua cruz e siga-me. Se tentar se apegar à sua vida, a perderá. Mas, se abrir mão de sua vida por minha causa e por causa das boas-novas, a salvará. Que vantagem há em ganhar o mundo inteiro, mas perder a vida? E o que daria o homem em troca de sua vida?'" (Mc 8.34-37). Essas palavras de Cristo tratam de rendição incondicional. E nós, mulheres, estamos incluídas nesse "Se *alguém* quer...".

Contar a história das personagens bíblicas femininas que se renderam aos pés de Jesus é falar de fé, honra, submissão, descobertas, risos e lágrimas; em suma, é discorrer sobre o encontro de cada uma com aquele que transformou sua vida. Desse encontro, Maria Madalena, Maria (a mãe de Jesus), Marta e Maria de Betânia, a viúva persistente, a mulher siro-fenícia, a adúltera, a mulher do fluxo de sangue e a samaritana saíram mais completas e fortes e acabaram eternizadas pela reconciliação com Deus. E elas não foram as únicas. O encontro com Jesus muda radicalmente a vida de todo aquele que se rende a seus pés!

Encontramos ao longo de toda a Bíblia inúmeras passagens com histórias fantásticas sobre mulheres guerreiras, valentes, de fé, de oração. Mulheres que comoveram o coração de Deus com a vida, os propósitos, as súplicas. O elo que percebemos entre todas elas é o imenso amor de Deus, que as envolve e as atrai para a intimidade com o Criador. O escritor Philip Yancey escreveu em seu livro *Maravilhosa graça*:

> O apóstolo Paulo — inicialmente uma das criaturas mais resistentes à mudança, um "fariseu dos fariseus" que diariamente agradecia a Deus por não ser gentio, escravo ou mulher — acabou escrevendo as seguintes palavras revolucionárias: "Não há judeu nem grego, escravo nem livre, homem nem mulher; pois todos são um em Cristo Jesus". A morte de Jesus, ele disse, derrubou as barreiras do templo, desmantelou os muros delimitadores da hostilidade que haviam separado as pessoas por categorias. A graça encontrou um caminho.[1]

Quando Jesus veio ao mundo para salvar todo aquele que nele cresse, também incluiu as mulheres nesse objetivo, as abraçou e com elas viveu momentos significativos de redenção, amor e resgate. Por toda a sua passagem pela terra, ele deu às mulheres a oportunidade de se renderem diante da poderosa mensagem que salva, cura e liberta. Jesus lhes deu atenção e importância e as incluiu no rol de pessoas especiais, com quem valia a pena parar e dialogar, ouvir e atender.

As mulheres que se renderam aos pés de Jesus e sobre quem vamos conversar neste livro entenderam que nele havia algo diferente, que passava por sua pessoa, suas palavras, seu amor, seu perdão e na atenção que dispensava a elas. Não, aquele com certeza não era um homem comum, havia algo mais. As mulheres que conviveram com Cristo faziam parte de uma sociedade que as rebaixava e menosprezava, o que as levava a carregar olhares cabisbaixos, medrosos, sofridos e tímidos. A cultura judaica de então lhes impusera por séculos uma escravidão emocional. Por isso, assim que conheceram Jesus, aquelas mulheres compreenderam que aquele não era um homem qualquer; havia mais, muito mais. Ele era o Messias, o Salvador! Sim, a ele valia a pena se render.

> *As mulheres que se renderam aos pés de Jesus e sobre quem vamos conversar neste livro entenderam que nele havia algo diferente, que passava por sua pessoa, suas palavras, seu amor, seu perdão e na atenção que dispensava a elas.*

Do mesmo modo que aconteceu com elas, exatamente vinte e três anos atrás, eu também entendi que vale a pena render a vida a Cristo. Essa rendição me transformou e fez-me ingressar em uma jornada dedicada a tornar-me uma pessoa melhor a cada dia, uma mulher dignificada por seu amor e perdão. Essa rendição me transportou das trevas para a verdadeira luz. Isso é a salvação que recebemos pela morte de Jesus na cruz. Ao me render ao Senhor, recebi uma nova chance — concedida pela imerecida graça de Deus. Quem sabe você também não vive em busca de santidade, ensinamentos, fé, coragem e perdão, sempre em busca de aprender a obedecer a Deus e a orar segundo o seu coração. Você é assim? Ou será que está só observando da janela, espreitando entre as brechas, desconfiando que naquele homem há algo mais que vale a pena descobrir? Seja você uma ou a outra, eu a convido a refletir, ao longo das próximas páginas, sobre o carpinteiro a cujos pés vale a pena se render. Será maravilhoso ter sua companhia nessa jornada.

A cada dia, mais e mais pessoas descobrem Jesus. São milhares e milhares de indivíduos que ouvem as boas-novas. A grande questão é: será que todos têm sua vida transformada? Será que todos se rendem a ponto de viver o que disse o apóstolo Paulo: "Fui crucificado com Cristo; assim, já não sou eu quem vive, mas Cristo vive em mim. Portanto, vivo neste corpo terreno pela fé no Filho de Deus, que me amou e se entregou por mim" (Gl 2.20)? Será que todos os que descobrem Cristo se rendem a ele com tal intensidade que são capazes de vencer a ansiedade (Fp 4.6)? Será que aprenderam os ensinamentos do Mestre e passaram a compartilhar com ele suas angústias e necessidades?

Vivemos tentadas por exigências do mundo, por seus valores distorcidos, pela ditadura do *ter* em detrimento do *ser*. No entanto, diante de cada tentação, devemos tomar posições que estão de acordo com os ensinos de Jesus registrados em sua Palavra — única regra de fé e prática para os que creem em Deus. Ao vermos nos telejornais notícias alarmantes, deveríamos recorrer exclusivamente ao Senhor, com confiança, esperança e fé. Diante de tantas "notícias de morte", precisamos abrir o coração e a mente para escutar o que Jesus tem a nos dizer. É ele quem tem de falar; a nós cabe escutar, orar e obedecer.

Quem são as mulheres que se renderam aos pés de Jesus? Como podemos identificá-las em meio a este mundo agitado e caído? Quais são as suas características? Porque, sim, há características que distinguem quem passou a viver aos pés do Mestre. Para aprender a identificar essas características, devemos olhar para algumas personagens bíblicas que se renderam aos pés de Cristo. Ao conhecer a experiência dessas mulheres que não se contentaram com um relacionamento superficial com o Salvador, nosso coração se animará e seremos fortalecidas na caminhada de fé.

O relato da experiência de cada uma dessas mulheres nos inspira, motiva, emociona e alerta que devemos estar preparadas, com as lâmpadas cheias de azeite, enquanto esperamos o glorioso dia em que Jesus, o nosso Redentor, voltará. Peço a Deus que este livro a ajude a atuar com excelência e fé no maior palco já montado — a vida.

1

Mulheres rendidas aos pés de Jesus em santidade

> Pouco tempo depois, Jesus começou a percorrer as cidades e os povoados vizinhos, anunciando as boas-novas a respeito do reino de Deus. Iam com ele os Doze e também algumas mulheres que tinham sido curadas de espíritos impuros e enfermidades. Entre elas estavam Maria Madalena, de quem ele havia expulsado sete demônios.
>
> LUCAS 8.1-2

Quanto mais leio a Bíblia, mais me vejo maravilhada com o amor de Jesus pelas mulheres. Como ele se preocupa com elas! Como as valoriza, a ponto de permitir, durante seu ministério terreno, que elas o acompanhassem numa jornada tão séria e importante, num treinamento vital para o cumprimento dos planos de Deus de levar as boas-novas de salvação à humanidade. Nessa passagem das Escrituras, o evangelista Lucas deixa claro que havia mulheres acompanhando Jesus e destaca algumas, como

Maria Madalena, que fora extraordinariamente liberta de demônios pelo Mestre.

Possessão demoníaca é o controle de um indivíduo por um ser maligno ou sobrenatural. A pessoa possuída perde o controle de seus atos para os seres malignos e só é liberta pelo poder do nome de Cristo. A Bíblia nos mostra exemplos de pessoas possuídas ou influenciadas por demônios: Mateus 9.32-33; 12.22; 17.18; Marcos 7.26-30; Lucas 4.33-36; 22.3; Atos 16.16-18.

Um relato em particular sempre me chamou a atenção: a do endemoninhado geraseno (Mc 5.1-20). Sua história começa dizendo: "Assim, chegaram ao outro lado do mar, à região dos gerasenos. Quando Jesus desembarcou, imediatamente um homem possuído por um espírito impuro saiu do cemitério e veio ao seu encontro" (v. 1-2). Aquele pobre homem estava possuído por uma legião de demônios. Eram tantos que ninguém conseguia segurá-lo. O endemoninhado vivia nu e vagava entre os túmulos, de dia e de noite, até que encontrou Jesus e foi liberto por ele. Ao ler os relatos bíblicos de possessão demoníaca, percebemos que ela também pode causar enfermidades físicas.

Imagine, então, o horror que deve ter sido a vida de Maria Madalena. Até ter um encontro com Jesus e ser liberta daqueles seres que a possuíam, ela era subjugada e mantida em um estado de muito terror e distanciamento social. Por isso sua gratidão ao homem que a libertou era certamente enorme. Quem sabe da situação de que ela foi tirada conhece exatamente o tamanho do bem que ela recebeu.

Antes de escrever sobre Maria Madalena, o evangelista Lucas falou sobre outra mulher. Chamada de "pecadora" (Lc 7.37), essa senhora tem seus pecados perdoados depois de se render aos pés de Jesus, aos quais beijou, banhou com lágrimas, secou com os cabelos e perfumou com um perfume caro. Em resposta ao questionamento de um fariseu, o Senhor respondeu que, exatamente por serem grandes os pecados daquela mulher, era muito grande a sua gratidão por ter sido perdoada. Podemos imaginar, a partir disso, que a gratidão que tomou o coração daquela mulher também se fez presente na alma de Maria Madalena. Afinal, Maria entendia a extensão de sua libertação. Fica fácil supor que, no entendimento dela, acompanhar Jesus e seus discípulos, servindo-os e ajudando-os em suas necessidades, era o mínimo que ela poderia fazer.

Liberta e consciente de si mesma, valorizada como ser humano e mulher, Maria Madalena se deu conta de que, para muito além da gratidão, tinha de seguir aquele que lhe devolvera a vida, aquele a quem chamavam de Messias. Ela precisava saber mais sobre Jesus. E, rendendo-se aos seus pés, o seguiu.

A libertação

Maria Madalena tornou-se prisioneira, encarcerada por trás de grades espirituais que a destruíam como ser humano e impediam que a vida lhe proporcionasse o seu melhor. Ela vivia presa nas emoções e no corpo, mas, um dia, foi liberta. Sua história nos permite refletir sobre uma das mais importantes características de uma mulher rendida aos pés de Jesus: a santidade.

A partir do momento em que o Senhor libertou Maria, ela tornou-se uma referência de mulher em busca da santificação diante dos desafios da vida, dos costumes da época, dos medos, das dúvidas e da solidão. Quem sabe ela tenha sido liberta de vícios, de uma vida promíscua ou de enfermidades. Seja como for, o nome de Maria Madalena foi perpetuado como alguém que se rendeu aos pés de Jesus e passou a buscar a santidade.

> *O nome de Maria Madalena foi perpetuado como alguém que se rendeu aos pés de Jesus e passou a buscar a santidade.*

Maria Madalena se encontrava no fundo do poço. Estava perdida e aprisionada pelos grilhões demoníacos da possessão espiritual. Já não era ela quem vivia, mas os espíritos imundos que a habitavam detinham todo o controle da sua triste vida. Pobre Maria! Aquilo não era viver! Os espíritos que a possuíam com certeza determinavam seu ir e vir, o deitar e o levantar, sob o comando de Satanás, que tem como objetivo provocar destruição na vida das pessoas e afastá-las de Deus por toda a eternidade. Sob esse domínio, a tragédia na vida daquela mulher era tão evidente que a sua libertação mereceu destaque em Lucas. E, como nada está na Bíblia por acaso, podemos obter grandes lições do que sabemos sobre a mulher liberta dos espíritos imundos.

Depois da libertação, Maria Madalena passou a seguir Jesus junto com outras mulheres igualmente libertas e curadas. Sua caminhada no grupo dos que seguiam Jesus não foi breve, o que fica claro quando a vemos testemunhando a agonia e o sofrimento de Cristo no Calvário. Maria ficou aos pés de Jesus na cruz, o que mostra que ela esteve a serviço do Senhor durante seu tempo na Galileia e o acompanhou até Jerusalém. "Algumas mulheres observavam de longe. Entre elas estavam Maria Madalena, Maria, mãe de Tiago, o mais jovem, e de José, e Salomé. Eram seguidoras de Jesus e o haviam servido na Galileia. Também estavam ali muitas mulheres que foram com ele a Jerusalém" (Mc 15.40-41).

Mesmo depois da morte de Jesus, Maria Madalena continuou firme entre seus discípulos, tanto que foi uma das primeiras pessoas que viram Jesus ressuscitado. Um grande privilégio.

> No primeiro dia da semana, bem cedo, enquanto ainda estava escuro, Maria Madalena foi ao túmulo e viu que a pedra da entrada tinha sido removida. Correu e encontrou Simão Pedro e o outro discípulo, aquele a quem Jesus amava, e disse: "Tiraram do túmulo o corpo do Senhor, e não sabemos onde o colocaram!".
>
> Pedro e o outro discipulo foram ao túmulo. Os dois corriam, mas o outro discípulo foi mais rápido que Pedro e chegou primeiro ao túmulo. Abaixou-se, olhou para dentro e viu ali as faixas de linho, mas não entrou. Então Simão Pedro chegou e entrou. Também viu ali as faixas de linho e notou que o pano que cobria a cabeça de Jesus estava dobrado

e colocado à parte. O discípulo que havia chegado primeiro ao túmulo também entrou, viu e creu. Pois até então não haviam compreendido as Escrituras segundo as quais era necessário que Jesus ressuscitasse dos mortos. Os discípulos voltaram para casa.

Maria estava do lado de fora do túmulo. Chorando, abaixou-se, olhou para dentro e viu dois anjos vestidos de branco, sentados à cabeceira e aos pés do lugar onde tinha estado o corpo de Jesus. Os anjos lhe perguntaram: "Mulher, por que você está chorando?".

Ela respondeu: "Porque levaram o meu Senhor, e não sei onde o colocaram".

Então, ao virar-se para sair, viu alguém em pé. Era Jesus, mas ela não o reconheceu. "Mulher, por que está chorando?", perguntou ele. "A quem você procura?".

Pensando que fosse o jardineiro, ela disse: "Se o senhor o levou embora, diga-me onde o colocou, e eu irei buscá-lo".

"Maria!", disse Jesus.

Ela se voltou para ele e exclamou: "Rabôni!" (que, em aramaico, quer dizer "Mestre!").

Jesus lhe disse: "Não se agarre a mim, pois ainda não subi ao Pai. Mas vá procurar meus irmãos e diga-lhes: 'Eu vou subir para meu Pai e Pai de vocês, para meu Deus e Deus de vocês'".

Maria Madalena encontrou os discípulos e lhes disse: "Vi o Senhor!". Então contou o que Jesus havia falado.

João 20.1-18

Sempre que leio essa passagem (presente, ainda, em Mc 16.9-10), fico maravilhada, emocionada e cheia de esperança em relação a nós, mulheres. Como Maria Madalena cresceu em santidade ao acompanhar Jesus, mesmo tendo sido endemoninhada! Como ela ficou íntima de Jesus a ponto de ele confiar-lhe uma notícia de tamanha importância e seriedade — a sua ressurreição!

Observe que Simão Pedro e aquele a quem Jesus amava foram ao túmulo, o viram vazio, os lençóis revolvidos, mas voltaram para o lugar onde estavam anteriormente. Maria não. Ela ficou e, porque ficou, foi agraciada com a presença do Senhor. Jesus poderia ter-se revelado aos mais poderosos que o seguiram, mas não: revelou-se a ela. Maria Madalena teve o grande privilégio de ser a primeira a vê-lo ressurreto, livre das amarras da morte, triunfante, vencedor! Essa foi sua verdadeira libertação, a reconciliação com Deus por meio do triunfo do Filho, Jesus Cristo, na cruz do Calvário! "Ele mesmo carregou nossos pecados em seu corpo na cruz, a fim de que morrêssemos para o pecado e vivêssemos para a justiça; por suas feridas somos curados. Vocês eram como ovelhas desgarradas, mas agora voltaram para o Pastor, o Guardião de sua alma" (1Pe 2.24-25).

A santidade

Maria foi liberta. Mas o que isso tem a ver com santidade? Santidade é algo fundamental para a convivência com o Deus santo. O Senhor havia alertado Israel, povo que tirara da escravidão do Egito: "pois eu sou o SENHOR, seu Deus. Consagrem-se e sejam santos, pois eu sou santo. [...] Eu, o SENHOR, sou aquele que os tirou da terra do Egito para ser o seu Deus. Por isso, sejam santos, pois eu sou santo" (Lv 11.44-45). Isso vale não só para os israelitas daquela época, pois Deus é santo ontem, hoje e para sempre.

No Novo Testamento, Pedro nos lembra da necessidade de nos santificarmos, a fim de vivermos com o Deus santo: "Pois as Escrituras dizem: 'Sejam santos, porque eu sou santo'" (1Pe 1.16). O mesmo é dito em Hebreus: "Esforcem-se para viver em paz com todos e procurem ter uma vida santa, sem a qual ninguém verá o Senhor" (12.14). A santificação é um processo essencial para termos comunhão com Deus. E foi isso que Maria Madalena buscou ao seguir Jesus.

Com isso, podemos ver ao longo de toda a Bíblia que a santificação é fundamental para a relação entre Deus e o seu povo escolhido, seus filhos adotados pela graça, por mérito do sacrifício de Jesus. Quando nos separamos do pecado, somos impulsionados a uma intimidade com o Deus que é santo. Essa separação do pecado tem de ser desenvolvida como parte do caráter dos cristãos. Deus quer para si um povo santo como ele!

> *A santificação é fundamental para a relação entre Deus e o seu povo escolhido, seus filhos adotados pela graça, por mérito do sacrifício de Jesus.*

No princípio, quando Deus criou o homem e a mulher, sua expectativa era que eles não se contaminassem e, assim, pudessem ter com ele uma profunda intimidade. Deus não poderia conviver com a humanidade sem que os limites da santidade fossem estabelecidos, pois o pecado os afastaria do Criador, como de fato os afastou. Em pecado, homem e mulher não poderiam se relacionar com Deus face a face. Quando desobedeceram às ordens do Senhor e os seus olhos se abriram para a realidade dessa desobediência, eles quebraram a aliança de santidade e tiveram de assumir as consequências: viver afastados de Deus. "... o Senhor Deus os expulsou do jardim do Éden, e Adão passou a cultivar a terra da qual tinha sido formado. Depois de expulsá-los, colocou querubins a leste do jardim do Éden e uma espada flamejante que se movia de um lado para o outro, a fim de guardar o caminho até a árvore da vida" (Gn 3.23-24). Sem santidade ninguém pode permanecer na presença de Deus!

Daí em diante foram muitas as gerações subjugadas e corrompidas pelo pecado. Mesmo tendo Deus escolhido e separado um povo, este se afastou do Senhor e buscou outros deuses em culturas estrangeiras. Era como se dissessem: "Não queremos a sua interferência na nossa vida, mas desejamos agir e viver por conta própria. Queremos ser donos do nosso nariz". Ainda assim, Deus sempre permaneceu fiel, buscando, cuidando, disciplinando, como faz um pai zeloso quando necessário, e levantando um remanescente que buscasse a sua face, que pudesse resplandecer a glória divina com sua vida para as demais nações pagãs ao redor.

Quantas vezes o Senhor os avisou e disciplinou, dando-lhes novas chances? Quantas vezes demonstrou seu imenso amor? O Senhor lhes deu direção, lhes deu as leis para que por elas pautassem sua vida, explicou-lhes sobre o puro e o impuro, separou-os como filhos amados. Rompendo com Deus e se separando dele por causa do pecado, eles se puseram debaixo do domínio de Satanás; e isso é a maior tragédia de uma vida.

Mesmo assim, Deus não desistiu do homem. Ele ainda quer um povo santo, que reflita sua glória. "Porque Deus amou tanto o mundo que deu seu Filho único, para que todo o que nele crer não pereça, mas tenha a vida eterna. Deus enviou seu Filho ao mundo não para condenar o mundo, mas para salvá-lo por meio dele" (Jo 3.16-17). Sim, Deus providenciou o meio de purificar os pecadores, por meio do Filho, Jesus Cristo. Pedro escreveu: "Vocês, porém, são povo escolhido, reino de sacerdotes, nação santa, propriedade exclusiva de Deus. Assim, vocês podem mostrar às pessoas como é admirável aquele que os chamou das trevas para sua maravilhosa luz" (1Pe 2.9). Os cristãos são o povo santo de Deus, nação santa, sua propriedade exclusiva, e precisam ser santos. Aqueles que se dizem seguidores de Jesus deverão conduzir-se como um povo santificado e purificado da impureza do mundo, separado do mal.

Em seu livro *Santidade ao seu alcance*, o pastor Ivênio dos Santos escreveu:

> O que é então santidade? Santidade é amar o que Deus ama e abominar o que Deus abomina. Santidade é fome e sede de ser justo. Santidade é a busca honesta de ser semelhante ao Senhor. Santidade é a busca por conquistar

> aquilo pelo qual fomos conquistados. Santidade é a única evidência segura de que possuímos a fé salvadora em nosso Senhor Jesus Cristo, e de que, portanto, somos filhos de Deus, e é a única prova de que amamos sinceramente ao Senhor. Santidade é ação prática em direção ao nosso próximo. Santidade é a busca da permanência em Cristo. É o galho mantendo-se permanente na Videira, a fim de dar o fruto do Espírito. Santidade é uma vida de vitória sobre o pecado, pela revelação de que estamos crucificados com Cristo, passando o pecado a ser um acidente de percurso e não mais uma norma, pois não tem mais domínio sobre nós. [...]
>
> À luz de tudo isso é que temos de parar e perguntar: Como viver em santidade prática? Isso é possível a mim? Onde entra a minha força em tudo isso? Qual a minha participação? É Deus que me santifica ou sou eu que me santifico? Em que sentido a santidade está ao nosso alcance?" [...]
>
> Chamamos de quebrantamento o processo de Deus conosco na busca de libertar-nos da soberba, que é a causadora de todas as nossas enfermidades.[1]

Em seguida, o pastor conta a história de um cristão que entrou na forja do ferreiro. Nos tempos de ferraduras, e não de pneus, portanto de ferreiros, e não de borracheiros, tal cristão ficou curioso para saber o critério usado pelo ferreiro para a triagem que fazia com os ferros, pois atirava vários numa pilha e, de vez em quando, atirava outros em uma pilha diferente.

> O ferreiro então lhe explicou que os moldáveis ele os atirava na pilha maior, e os duros e resistentes iam para a pilha

dos inúteis. "Eu coloco o ferro no fogo até torná-lo incandescente e depois malho sobre ele na bigorna, pois é assim que descubro a sua têmpera. Alguns são inúteis para mim, pois são duros e resistentes, não se prestando para o que eu preciso, pois não são moldáveis. São esses que atiro na pilha dos inúteis." Aquele crente saiu da forja do ferreiro com uma forte impressão de Deus em seu coração e orando mais ou menos assim: "Senhor, prova-me o quanto quiseres, mas nunca me atires na pilha dos inúteis".[2]

Em sua carta, Tiago escreveu: "Meus irmãos, considerem motivo de grande alegria sempre que passarem por qualquer tipo de provação, pois sabem que, quando sua fé é provada, a perseverança tem a oportunidade de crescer. E é necessário que ela cresça, pois quando estiver plenamente desenvolvida vocês serão maduros e completos, sem que nada lhes falte" (Tg 1.2-4).

Depois de liberta dos espíritos imundos, Maria Madalena rendeu-se e não quis sair mais dos pés de Jesus! Juntou-se a outras mulheres que também o seguiam e buscou crescimento, amadurecimento e santificação. Maria precisava preencher-se de Deus, da sua graça redentora, santificando-se dia a dia, de glória em glória. "Portanto, todos nós, dos quais o véu foi removido, podemos ver e refletir a glória do Senhor, e o Senhor, que é o Espírito, nos transforma gradativamente à sua imagem gloriosa, deixando-nos cada vez mais parecidos com ele" (2Co 3.18).

Foi exatamente isso que Maria buscou: ser cada vez mais parecida com Jesus. Isso é santidade.

A liberdade

Depois de ser liberta, Maria Madalena descobriu que estava ao seu alcance viver em santidade. A intimidade demonstrada por Jesus ao chamá-la pelo nome e a dela em resposta nos dão a certeza de que ela caminhava em busca de santificação, de viver dentro dos padrões exigidos pelo Senhor para estar em sua presença. Isso nos sinaliza que não importa de onde nós viemos nem o que fizemos; o que importa é para onde estamos indo, se estamos rendidas a Jesus e acompanhando os seus passos.

Deus nos santifica quando o buscamos, nos quebrantamos, nos rendemos aos seus ensinamentos, quando o seguimos de todo o coração: "Jesus respondeu: 'Ame o Senhor, seu Deus, de todo o seu coração, de toda a sua alma e de toda a sua mente'. Este é o primeiro e o maior mandamento" (Mt 22.37-38).

> *Deus nos santifica quando o buscamos, nos quebrantamos, nos rendemos aos seus ensinamentos, quando o seguimos de todo o coração.*

As armadilhas e as tentações do maligno nos cercam todos os dias. Vivemos aprisionadas num mundo caído, onde Satanás atua. As forças do ódio, da mágoa, das dores da alma, da inveja, do ciúme e da cobiça nos sufocam e enlaçam. Precisamos de libertação: "Quando seguem os desejos da natureza humana, os resultados são extremamente claros: imoralidade sexual, impureza, sensualidade, idolatria, feitiçaria, hostilidade, discórdias, ciúmes, acessos de raiva, ambições egoístas, dissensões, divisões, inveja, bebedeiras, festanças desregradas e outros pecados semelhantes. Repito o que disse antes: quem pratica essas coisas não herdará o reino de Deus" (Gl 5.19-21).

Não existe meio-termo nos padrões de santificação de Deus. A Bíblia é o gabarito da nossa vida; temos de abri-la e checar se estamos respondendo de acordo, assertivamente. O Espírito Santo guia nossa vida e nos fortalece quando o bem e o mal se confrontam em nós. Todo cuidado é pouco. Paulo demonstrou compreender isso, quando escreveu: "Quero fazer o bem, mas não o faço. Não quero fazer o que é errado, mas, ainda assim, o faço. Então, se faço o que não quero, na verdade não sou eu quem o faz, mas o pecado que habita em mim" (Rm 7.19-20).

Se quisermos nos santificar para ver a Deus, precisamos seguir Jesus e viver o que ele nos ordenou, debaixo do seu governo: "Aqueles que aceitam meus mandamentos e lhes obedecem são os que me amam. E, porque me amam, serão amados por meu Pai. E eu também os amarei e me revelarei a cada um deles" (Jo 14.21).

Maria Madalena decidiu se render a Jesus e segui-lo. A casa que foi limpa precisava ser preenchida, arrumada, para que o novo morador pudesse habitá-la. Deixar a casa vazia não é prudente:

> Quando um espírito impuro sai de uma pessoa, anda por lugares secos à procura de descanso. Mas, não o encontrando,

> diz: "Voltarei à casa da qual saí". Ele volta para sua antiga casa e a encontra vazia, varrida e arrumada. Então o espírito busca outros sete espíritos, piores que ele, e todos entram na pessoa e passam a morar nela, e a pessoa fica pior que antes.
>
> Lucas 11.24-26

É preciso agir rápido na limpeza da casa de onde saíram os maus moradores, para que eles não possam voltar. Sem o Espírito de Deus para governá-la, a vida que foi liberta recomeça a pecar e, dentro desse abismo, o pecado acaba por levar a outro pecado, e este a outro pecado e, então, um abismo chama outro abismo (Sl 42.7, RA).

Maria Madalena preencheu sua casa com Jesus, buscou a santificação ao seguir seus mandamentos, rendeu sua vida ao comando de Cristo e foi honrada por ele. A consolidação da libertação se dá quando entendemos que o mesmo pode ocorrer conosco e nos entregamos ao senhorio de Cristo, quando nos deixamos ser moldadas por ele, quando temos o Espírito Santo que produz em nós "amor, alegria, paz, paciência, amabilidade, bondade, fidelidade, mansidão e domínio próprio" (Gl 5.22-23).

Talvez você esteja se sentindo ferida e deseje ser curada e santificada por Jesus. Não perca a esperança, pois isso é possível! Jesus cura e nos ajuda na caminhada pela santificação. Há, sim, esperança: Jesus. Ele é a esperança! Jesus é vida, e vida em abundância! "Portanto, se o Filho os libertar, vocês serão livres de fato" (Jo 8.36).

O que você precisa fazer para receber essa verdadeira liberdade? Tão somente render-se aos pés dele.

Para reflexão

1. A partir do exemplo de Maria Madalena, reflita se você se considera uma pessoa liberta e em busca da santificação. Caso sua resposta seja negativa, o que falta ou o que pode melhorar?

2. O que você pode fazer para tornar o processo de santificação mais eficiente em sua vida?

3. Quais passagens da Bíblia podem ser úteis nesse processo?

4. Escreva a sua oração.

____

____

____

____

____

____

2

Mulheres rendidas aos pés de Jesus em obediência

> Confusa, Maria tentou imaginar o que o anjo quis dizer. "Não tenha medo, Maria", disse o anjo, "pois você encontrou favor diante de Deus. Ficará grávida e dará à luz um filho, e o chamará Jesus. Ele será grande, e será chamado Filho do Altíssimo. O Senhor Deus lhe dará o trono de seu antepassado Davi, e ele reinará sobre Israel para sempre; seu reino jamais terá fim!" [...] Maria disse: "Sou serva do Senhor. Que aconteça comigo tudo que foi dito a meu respeito". E o anjo a deixou.
>
> LUCAS 1.29-33,38

Submeter nossa vontade ao querer divino é uma tarefa difícil, principalmente quando não entendemos bem qual é a vontade do Criador. No entanto, não há como viver plenamente nosso relacionamento com o Senhor se não rendermos nossa vontade à de Deus. Essa rendição tem de ser uma entrega absoluta e definitiva ou não funciona. A vida de Maria, a mãe de Jesus, revela uma das mais fantásticas histórias de rendição em obediência ao chamado de Deus, que nos ensina que confiar e obedecer nos leva a desfrutar do melhor do Senhor.

Maria, provavelmente uma adolescente, cuidava de sua vida rotineira enquanto se preparava para desposar o carpinteiro José. O Altíssimo a escolheu para um papel extraordinário: trazer ao mundo o Redentor da humanidade, participando de modo especial do milagre da encarnação em um nível que nenhum outro ser humano poderia compreender.

Maria vivia em Nazaré, cidadezinha menosprezada pelos israelitas: "Pode vir alguma coisa boa de Nazaré?" (Jo 1.46), indagou Natanael. Mas foi justamente nesse lugar que Deus encontrou um coração que preenchia todos os requisitos necessários para cumprir um papel de destaque no mistério da encarnação da Palavra viva.

Aquele dia aparentemente seria mais um como outro qualquer naquela pacata cidadezinha, mas não foi. Maria aguardava o casamento dentro do ano de preparação, como mandava o costume da época. O noivado durava aproximadamente doze meses e era um tempo necessário para que o noivo preparasse o lugar de morada do casal, e a noiva, o seu enxoval. Para ambos, era um ano não só cheio de tarefas, mas também de reflexão e preparação pessoal para a santa aliança do casamento.

Maria e José estavam justamente nessa fase quando veio a notícia da gravidez da moça. Por isso, José quis fugir, para não envergonhá-la e até para evitar que ela fosse punida por suspeita de ter praticado sexo antes do casamento. Maria estava grávida, o que era indiscutível, mas o filho não era dele. Portanto, o melhor seria abandoná-la em segredo, levando sobre si a culpa do casamento desmanchado.

> Foi assim que nasceu Jesus Cristo. Maria, sua mãe, estava prometida para se casar com José. Antes do casamento, porém, ela engravidou pelo poder do Espírito Santo. José, seu noivo, era um homem justo e resolveu romper a união em segredo, pois não queria envergonhá-la com uma separação pública.
>
> Enquanto ele pensava nisso, um anjo do Senhor lhe apareceu em sonho e disse: "José, filho de Davi, não tenha medo de receber Maria como esposa, pois a criança dentro dela foi concebida pelo Espírito Santo. Ela terá um filho, e você lhe dará o nome de Jesus, pois ele salvará seu povo dos seus pecados".
>
> Tudo isso aconteceu para cumprir o que o Senhor tinha dito por meio do profeta: "Vejam! A virgem ficará grávida! Ela dará à luz um filho, e o chamarão Emanuel, que significa 'Deus conosco'".
>
> Quando José acordou, fez o que o anjo do Senhor lhe havia ordenado e recebeu Maria como esposa. No entanto, não teve relações com ela até o menino nascer; e ele lhe deu o nome de Jesus.
>
> Mateus 1.18-25

Assim, José ficou e casou-se com Maria.

O chamado

O chamado de Maria foi surpreendente, espantoso, maravilhoso! A Bíblia relata que Deus mandou o anjo Gabriel em um dia comum, numa hora qualquer, a fim de convocar uma mocinha cuja única preocupação era com o enxoval e com o casamento marcado, para participar do fenômeno máximo da humanidade.

O coração de Maria estava a mil. O que significava aquela visita? Não foi só uma voz que ela ouviu, não foi um sentimento no coração; ela viu o anjo! Gabriel apareceu a ela de forma física, tangível, visível! E ali estava ele na sua frente, dizendo palavras extraordinárias.

O mesmo ocorre conosco. A princípio não entendemos o que está acontecendo. Pensamos: "O que Deus está querendo comigo, ou o que ele está me chamando para fazer? Só pode ser coisa da minha mente". Não é assim que muitas vezes acontece? Com Maria também foi: "Confusa, Maria tentou imaginar o que o anjo quis dizer" (Lc 1.29). E aí o anjo apresentou a proposta mais incompreensível que alguém poderia receber. Uma virgem, noiva, iria conceber e dar à luz o Filho de Deus! Só podia ser brincadeira!

Mas ela aceitou. Obedeceu.

Naturalmente, Maria fez perguntas pertinentes, sem ser desobediente. Como isso aconteceria se ela era virgem? A explicação do anjo, mesmo que ainda tivesse dúvidas, foi definitiva para que soubesse que, fosse como fosse, acontecesse o que acontecesse, aquela missão era dela, e a jovem precisava confiar e obedecer ao chamado de Deus. "'Não tenha medo, Maria', disse o anjo, 'pois você encontrou favor diante de Deus!'" (Lc 1.30).

> *Fosse como fosse, acontecesse o que acontecesse, aquela missão era dela, e a jovem precisava confiar e obedecer ao chamado de Deus.*

Ao aceitar a missão, a moça teria sua honra posta em dúvida pela sociedade; arriscaria o seu casamento; correria o risco de ser apedrejada, desprezada e envergonhada; entregaria o controle da própria vida. E foi o que ela fez! Maria confiou. Se Deus a estava chamando, ele se responsabilizaria por todas as consequências. A ela só cabia obedecer e dar o seu melhor! A escritora batista Nancy Dusilek escreveu em seu livro *O grito das incluídas* uma reflexão interessante sobre essa situação.

> Maria assustou-se com o anjo, ouviu o que ele tinha a dizer, mas põe-se a pensar. Decisões sérias são tomadas depois de muito ponderar e analisar as situações. Maria deve ter feito muitas perguntas ao anjo antes de decidir. Ela não foi aceitando só para se tornar uma celebridade e receber as honras que sabia que teria. Ela questionou, e o anjo pacientemente respondeu a todas as suas dúvidas. Deus nos respeita e abre espaço para nossos questionamentos. O importante é que, depois de conhecer todos os riscos, Maria diz "Sim"! Aí está o seu caráter. Apesar de todos os riscos, ela aceitou o desafio. Ela poderia ter dito "não", alegando uma porção de razões, mas perderia o privilégio de ser a mãe do Salvador. Todo privilégio carrega consigo responsabilidades e riscos. Maria aceitou e foi em frente.[1]

Maria rendeu-se e obedeceu de corpo e alma ao seu Senhor: Ela rendeu-se, mesmo tendo um papel coadjuvante, sem *glamour*, glórias ou louvores terrenos; um papel que lhe traria uma caminhada de apreensão, sofrimento e dor, tanto que o profeta Simeão a avisou. E assim se cumpriu. Maria ouviu o chamado de Deus e, por obedecer à voz divina, uma espada transpassou a sua alma.

Acabada sua participação na gestação de Jesus, Maria viveu como espectadora daquele que seria o maior acontecimento da terra: a vida, a morte e a ressurreição do Cristo. Viveu como espectadora da vida do próprio filho, que dali em diante seria chamado de Filho de Deus!

Se Deus a chamou e você tem certeza disso, obedeça e dê o seu melhor. Ele pode lhe pedir coisas das mais simples, e essas são fáceis de obedecer. Mas pode também requerer tarefas difíceis, como foi com Maria, que vão além do nosso raciocínio humano e da nossa vontade. Diante disso, é preciso confiar, lembrando que o Senhor se responsabiliza por seus chamados. A esse respeito, escrevi no livro *Mulheres que comovem o coração de Deus*:

> Confiar absolutamente em Deus e agir com base nessa confiança talvez seja uma das coisas mais difíceis para um cristão. É um aprendizado passo a passo, que não se consegue de repente, com um conhecimento superficial ou distante de quem seja Deus. Confiar plenamente em Deus exige intimidade, aproximação, conhecimento de quem Deus é e de seus atributos. Quem nunca duvidou da presença de Deus ao seu lado, do seu cuidado, de que ele se importa com você? Quem nunca esteve fora do esconderijo do Altíssimo

e deixou de sentir sua sombra a descansar-lhe o coração? Quem nunca sentiu isso que jogue a primeira pedra. As lutas e incertezas da vida nos tornam seres desconfiados, inseguros, difíceis de confiar e por isso de receber cuidados e atenção. Mas Deus nunca desiste de nós; mesmo quando vacilamos, ele não vacila, nos ama e nos atrai para esse amor eterno que jamais rejeita.[2]

A obediência

O exemplo de Maria nos revela como é possível obedecer a Deus e, assim, agradá-lo. Ela nos mostra como render-se aos pés do Senhor é uma forma de mostrar amor por ele. Quem o ama não pode viver sem querer satisfazê-lo. A obediência agrada a Deus porque ele criou os seus mandamentos para o nosso bem, e os seus planos são bons, planos de paz. Durante tempos difíceis e de lutas, saber disso aquieta o nosso coração, com esperança para o futuro — mesmo que, num primeiro momento, o amanhã pareça nebuloso aos nossos olhos.

Quando poderia Maria imaginar, destroçada emocionalmente como estava ao pé da cruz, que a morte de seu filho não era o fim, mas o triunfo, o caminho da vitória sobre a morte? Quem poderia supor que Jesus, pouco tempo depois, ressuscitaria, reconciliando com Deus a humanidade pecadora? Para ela, aquele momento era de profunda dor, mas havia uma promessa, uma esperança no futuro!

Em 1998, ouvi o pastor americano Tony Campolo dizer, ao se referir à morte e à ressurreição de Jesus: “Hoje pode ser sexta-feira, mas o domingo vem aí". E vem, sempre vem, o domingo da ressurreição, da esperança, da vida! Sempre existirão as sextas-feiras em nossa vida e os sábados sombrios e silenciosos. Mas, com Jesus, obedecendo-lhe e o seguindo, sempre "o domingo vem aí"! Sempre haverá outra chance.

Obedecer a Deus nos afasta do pecado, nos leva a uma intimidade santa com ele, nos conduz ao crescimento e ao amadurecimento da fé: "Se estiverem dispostos a me obedecer, terão comida com fartura. Se, porém, se desviarem e se recusarem a ouvir, serão devorados pela espada. Eu, o Senhor, falei!" (Is 1.19-20). A Bíblia está recheada de promessas de Deus para aqueles que lhe obedecem, ouvem a sua voz e se rendem aos seus pés.

> *Obedecer a Deus nos afasta do pecado, nos leva a uma intimidade santa com ele, nos conduz ao crescimento e ao amadurecimento da fé.*

A obediência que devemos ter ao Senhor vem como resposta sincera ao seu amor, pelo respeito a quem ele é, por confiar naquele que tudo pode e tem sempre o melhor para os seus. Não é uma obediência baseada em sacrifícios e purgações de pecados, pois esses já foram pagos na cruz. E lembre-se sempre: a Bíblia diz que "a obediência é melhor que o sacrifício" (1Sm 15.22)!

Nas minhas andanças pelo Brasil como coordenadora do Desperta Débora, conheci uma mulher chamada Susana e ouvi a sua história. Um relato de desobediência ao Senhor, de arrependimento e reconciliação. Quando a escutei, ela começava a se achegar às Déboras (as mães do movimento de oração pelos filhos), impulsionada pela necessidade. Susana havia entregado a vida ao Senhor havia mais de quinze anos e, segundo ela, tinha sido muito bonito ver com que alegria ela o apresentava a todos, chamava mesmo a atenção e fazia diferença por onde passava. Jesus brilhava por meio da vida de Susana. Mas, com o tempo, a carreira, o sucesso e o poder lhe subiram à cabeça, e ela foi se afastando dos pés do Senhor. Começou a andar por caminhos estranhos. A luz de Jesus foi perdendo o brilho em sua vida.

Deslumbrada com o que estava vivendo, Susana se esqueceu do que o Senhor havia planejado para ela e que um dia ela dissera a Deus que tomasse a direção da sua vida. Com base no seu próprio entendimento, aquela mulher seguiu em frente, deixando a vida levá-la ao sabor do vento, afastando-se cada dia mais, desobedecendo em tudo ao Senhor. Susana conseguiu muitas coisas, construiu uma excelente carreira, obteve sucesso, adquiriu bens, contraiu um novo casamento... mas, lá no fundo, tinha um vazio. Era como se um espaço enorme faltasse ser preenchido dentro do peito.

Alguns anos passaram, até que, depois de muitos sofrimentos, Susana começou a se lembrar do Senhor e a voltar para ele, aos pouquinhos, medrosa e envergonhada a princípio, mas voltando. Foi assim que a encontrei. Penso que, um dia, ela vai dizer o que Maria disse ao anjo: que é uma serva do Senhor e que se cumpra a divina vontade na vida dela. Oro mesmo por isso, para que, enfim, Susana tenha paz e se entregue em obediência. Oro para que aquele espaço vazio enorme dentro dela seja preenchido. Oro para que ela se renda totalmente aos pés de Jesus.

O ser humano tem muita dificuldade para obedecer. A rebeldia e a desobediência se fizeram presentes entre a humanidade no início, quando o primeiro casal optou por fazer o que não lhe era permitido, mesmo depois de Deus lhe ter dado tudo e só proibido uma única coisa. Com isso, a humanidade se desgraçou (Gn 3.23). Que triste!

Quando deixamos de obedecer aos princípios da Palavra de Deus, o pecado vem e toma posse da nossa vida e se estabelece, trazendo péssimas consequências. Para que haja restauração, é necessário que a transgressão seja confessada e abandonada, porque gera morte espiritual (Rm 6.23). O salmista explica detalhadamente:

> Como é feliz aquele cuja desobediência é perdoada, cujo pecado é coberto! Sim, como é feliz aquele cuja culpa o Senhor não leva em conta, cuja consciência é sempre sincera! Enquanto me recusei a confessar meu pecado, meu corpo definhou e eu gemia o dia inteiro. Dia e noite, tua mão pesava sobre mim; minha força evaporou como água no calor do verão. Finalmente, confessei a ti todos os meus pecados e não escondi mais a minha culpa. Disse comigo: "Confessarei ao Senhor a minha rebeldia", e tu perdoaste toda a minha culpa.
>
> Salmos 32.1-5

No livro *Chaves para o crescimento espiritual*, John MacArthur Jr. diz acerca da obediência:

> Surge, então, uma questão interessante e crucial: como podemos saber se uma pessoa é um verdadeiro ou um falso cristão? Há diversos critérios, mas entre os mais importantes está a obediência. Uma pessoa pode declarar: "Ah! Sim, eu creio, eu creio". Mas, se sua vida não for caracterizada por obediência àquele a quem professa como Senhor, algo está errado, horrivelmente errado. Sua vida não corresponde àquilo que ela professa. Nosso Salvador perguntou: "Por que me chamais Senhor, Senhor, e não fazeis o que vos mando?" (Lc 6.46). [...] Se realmente você crê em Deus, haverá evidências na sua maneira de viver, nas coisas que você diz e faz. Há uma relação inseparável entre obediência e fé, quase como as duas faces de uma mesma moeda. É difícil falarmos a respeito de uma sem incluirmos a outra. Você cresce espiritualmente enquanto obedece e, assim, se torna um filho obediente que se desenvolve para ser um crente maduro e produtivo.[3]

A questão da obediência é tão séria que a Bíblia a estabelece fortemente como demonstração do amor a Deus: "Amar a Deus significa obedecer a seus mandamentos. E seus mandamentos não são difíceis. Pois todo aquele que é nascido de Deus vence este mundo, e obtemos essa vitória pela fé. Quem vence a batalha contra o mundo? Somente quem crê que Jesus é o Filho de Deus" (1Jo 5.3-5). A obediência também demonstra nossa confiança e fé no seu amor e fidelidade. E Deus responde a um coração que se entrega: "Feliz é quem confia no Senhor, cuja esperança é o Senhor. É como árvore plantada junto ao rio, com raízes que se estendem até as correntes de água. Não se incomoda com o calor, e suas folhas continuam verdes. Não teme os longos meses de seca, e nunca deixa de produzir frutos" (Jr 17.7-8). Aleluia!

> *A questão da obediência é tão séria que a Bíblia a estabelece fortemente como demonstração do amor a Deus* [...]. *A obediência também demonstra nossa confiança e fé no seu amor e fidelidade. E Deus responde a um coração que se entrega.*

Todos temos nossos momentos ruins, de rebelião e desobediência. Somos pecadores, e em nós está a semente da transgressão. Muitas vezes preferimos tomar decisões individualistas, preferimos andar por atalhos enganosos e nos deslumbrarmos com as luzes coloridas e falsas que só servem para nos afastar do verdadeiro caminho de Deus. Frequentemente cometemos o maior dos erros, que é relativizar o pecado porque, afinal, "todo mundo faz". O mundo condescendente e apoiador do pecado aplaude nossa rebelião, e nos sentimos uma estrela no palco. No entanto, Jesus foi muito objetivo quando disse: "Ainda mais felizes são os que ouvem a palavra de Deus e a praticam" (Lc 11.28). Ouvir e praticar: duas ações poderosas para firmar a nossa vida!

No livro *Obediência e intimidade*, a escritora americana Devi Titus enfatiza a indispensabilidade da obediência ao Senhor:

> A importância de andar em retidão nos caminhos do Senhor fica clara quando lemos as palavras de Jesus: "Se vocês me amam, obedecerão aos meus mandamentos" (Jo 14.15). De nada adianta buscarmos nos relacionar intimamente com Deus, em amor, se descumprimos sua boa, agradável e perfeita vontade. Assim, a obediência é um elemento indispensável a quem deseja ter uma vida plena com o Senhor.[4]

O *Magnificat*, cântico de louvor de Maria, quando encontrou-se com sua prima Isabel, é uma das mais lindas peças de oração que já ouvi em reconhecimento ao Deus soberano. O início sempre me emociona: "Maria respondeu: 'Minha alma exalta ao Senhor! Como meu espírito se alegra em Deus, meu Salvador! Pois ele observou sua humilde serva, e, de agora em diante, todas as gerações me chamarão abençoada. Pois o Poderoso é santo, e fez grandes coisas por mim'" (Lc 1.46-49). A esse respeito, Nancy Dusilek escreve:

> Em seu cântico, Maria começa reconhecendo a soberania de Deus (v. 46). Uma mulher judia é a primeira pessoa no mundo a saber que o Salvador estava prestes a chegar. Também foi uma mulher quem descobriu que Jesus havia ressuscitado. Tanto o nascimento quanto a ressurreição de Jesus foram primeiramente conhecidos por mulheres. Que privilégio

numa sociedade em que elas jamais seriam testemunhas de situações tão importantes! Quanto privilégio![5]

Maria teve a sua missão, confiou, obedeceu, deu o seu melhor, e a cumpriu com excelência. Cada uma de nós tem a sua missão e, assim como a mãe do Salvador, devemos confiar, obedecer, dar o nosso melhor, e cumpri-la com excelência.

O que você precisa fazer para viver essa verdadeira obediência? Tão somente render-se aos pés de Jesus.

Para reflexão

1. Com base no exemplo de Maria, reflita se você se considera uma pessoa obediente ou não a Deus. Por quê?

2. O que você pode fazer para intensificar a postura de obediência a Deus na sua vida?

3. Quais passagens da Bíblia podem ser úteis nesse processo?

4. Escreva a sua oração.

3

Mulheres rendidas aos pés de Jesus em aprendizado

> Jesus e seus discípulos seguiram viagem e chegaram a um povoado onde uma mulher chamada Marta os recebeu em sua casa. Sua irmã, Maria, sentou-se aos pés de Jesus e ouvia o que ele ensinava. Marta, porém, estava ocupada com seus muitos afazeres. Foi a Jesus e disse: "Senhor, não o incomoda que minha irmã fique aí sentada enquanto eu faço todo o trabalho? Diga-lhe que venha me ajudar!".
>
> Mas o Senhor respondeu: "Marta, Marta, você se preocupa e se inquieta com todos esses detalhes. Apenas uma coisa é necessária. Quanto a Maria, ela fez a escolha certa, e ninguém tomará isso dela".
>
> Lucas 10.38-42

O episódio relatado na passagem acima por Lucas ocorreu em Betânia, uma antiga aldeia da Judeia, localizada a cerca de três quilômetros a leste da cidade velha de Jerusalém e do monte das Oliveiras. Betânia é mencionada diversas vezes na Bíblia, como um local que Jesus visitava com frequência.

Ali ele tinha amigos queridos; ali ocorreram acontecimentos importantes do ministério de Jesus, como a ressurreição de Lázaro: "Quando Jesus chegou a Betânia, disseram-lhe que Lázaro estava no túmulo havia quatro dias. [...] Então Jesus gritou: 'Lázaro, venha para fora!'. E o morto saiu" (Jo 11.17,43-44). Outro acontecimento foi o diálogo entre João Batista e os sacerdotes e levitas: "Esse encontro aconteceu em Betânia, um povoado a leste do rio Jordão, onde João estava batizando" (Jo 1.28). Nessa conversa os levitas queriam saber quem era João. Ainda em Betânia, seis dias antes da Páscoa, na casa de Lázaro, foi oferecido um jantar a Jesus. O fato que ficou marcado nesse encontro foi a atitude de Maria, que lavou-lhe os pés com suas lágrimas, os enxugou com seus cabelos e depois ungiu-os com perfume dos mais preciosos: "Então Maria pegou um frasco de perfume caro feito de essência de óleo aromático, ungiu com ele os pés de Jesus e os enxugou com os cabelos. A casa se encheu com a fragrância do perfume" (Jo 12.3).

Segundo Lucas, em Betânia ocorreu outro acontecimento de grande relevância, a própria ascensão do Filho de Deus ao céu: "Depois Jesus os levou a Betânia e, levantando as mãos para o céu, os abençoou. Enquanto ainda os abençoava, deixou-os e foi elevado ao céu" (Lc 24.50-51). Muitos outros acontecimentos ocorreram nessa cidadezinha, entre eles o episódio central deste capítulo.

A hospitalidade entre os judeus era levada muito a sério, ainda mais entre amigos, e Jesus, naturalmente, era tido como uma pessoa especial. Na verdade, a hospitalidade era praticamente uma obrigação. A pessoa que hospedava sentia-se responsável por quem chegava à sua casa. Não se podia imaginar que alguém deixasse um viajante passar a noite na rua, sem um lugar para dormir e sem se alimentar. Era uma honra para quem hospedava.

Os Evangelhos mostram que Jesus chamou a atenção dos discípulos para que, nas suas viagens, ficassem hospedados na casa dos habitantes da cidade que lhes abrisse as portas: "Disse ele: 'Onde quer que forem, fiquem na mesma casa até partirem da cidade. Mas, se algum povoado se recusar a recebê-los ou a ouvi-los, ao saírem, sacudam a poeira dos pés como sinal de reprovação'" (Mc 6.10-11). Jesus mesmo ficou hospedado em muitas casas, como a dos irmãos Lázaro, Marta e Maria.

Marta, a atarefada

Uma casa de Betânia em especial estava em alvoroço. As pessoas iam de um lado para o outro, cheias de preocupações e tarefas a cumprir, numa urgência de quem havia recebido uma visita muito ilustre: Jesus havia chegado, junto com seus discípulos. Provavelmente eles estavam cansados da jornada, e os preparativos para receber tantas pessoas especiais eram muitos.

Entendemos bem o que Marta estava passando; o porquê de toda a sua ansiedade e de seu alvoroço. A boa prática da hospitalidade para os judeus ia muito além de abrir as portas da casa e hospedar; era preciso tratar muito bem o hóspede, dando-lhe comida de qualidade, oferecendo-lhe a possibilidade de tomar banho e descansar. Se fosse uma só pessoa, já seria trabalhoso; imagine então hospedar pelo menos treze pessoas! Por isso, Marta corria de lá para cá, toda atarefada.

Quem dirige uma casa sabe bem o trabalho que dá receber hóspedes. É algo que requer planejamento e boa organização. Por ter morado fora da minha cidade por um bom tempo e receber muitos hóspedes, faço ideia de como a cabeça de Marta devia estar a mil por hora, dando ordens à criadagem e preparando a comida. Para ela, aquilo era o que de mais urgente havia para aquele momento. Nada mais importava. Em nenhum momento passou pela cabeça de Marta que organizar uma boa hospedagem não era tudo, e que poderia haver algo mais importante na visita de Jesus e seus discípulos. Para ela, servi-los era prioridade.

> *Em nenhum momento passou pela cabeça de Marta que organizar uma boa hospedagem não era tudo, e que poderia haver algo mais importante na visita de Jesus e seus discípulos.*

Essa é a razão de Marta estar focada nas tarefas, na organização da casa, no trabalho e em nada mais: "Marta, porém, estava ocupada com seus muitos afazeres" (Lc 10.40). Seus olhos não conseguiam enxergar além, por isso ela não se dava conta de que o principal daquela ilustre visita não era o que ela estava priorizando. A casa precisava ser organizada? Sim. Os quartos deviam ser arrumados, a comida bem feita, o banho preparado? Com certeza sim. Mas e quanto à oportunidade única de ter Jesus em sua casa e de poder ouvi-lo ensinar? Não seria aquilo também importante? Claro que sim. Então, por que Marta não viu isso em tempo? Por que precisou que Jesus lhe desse um toque, puxasse amorosamente suas orelhinhas para que a ficha caísse? Refletindo sobre a atitude de Marta, pergunto: você já viu esse filme na sua vida? Algo nesse episódio lhe parece familiar?

Se fez o *mea culpa*, você está mais para Marta. Quantas vezes você já não se ocupou em demasia organizando coisas que, com um bom planejamento, tomaria menos o seu tempo? Esse planejamento a deixaria mais folgada para dar atenção às pessoas que são as mais importantes, como a família, por exemplo, os amigos e até mesmo hóspedes. E, naturalmente, Deus!

Maria, a quieta

Maria também morava na mesmíssima casa que Marta e estava vivendo a mesma situação. Ela presenciou o mesmo alvoroço. Talvez as pessoas fossem de um lado para o outro, numa urgência de quem havia recebido uma visita muito ilustre. Mas, pelo que podemos compreender do que diz essa passagem, Maria é a irmã mais sábia. Jesus deu a entender que ela soube colocar ordem nos seus afazeres e compreendia quais eram as prioridades, entre as quais se destacava ouvi-lo, rendida aos seus pés. “Sua irmã, Maria, sentou-se aos pés de Jesus e ouvia o que ele ensinava" (Lc 10.39).

Não era sempre que Jesus se hospedava com eles; afinal, o Mestre tinha uma missão a cumprir e viajava demais. Além disso, constantemente uma multidão o seguia, e aquela era uma oportunidade ímpar de ouvi-lo sem muitas pessoas por perto, naquele empurra-empurra. Na cultura judaica de então, os homens não consideravam as mulheres. Imagine a dificuldade de abrir caminho para ficar dentro do círculo próximo de Jesus. Portanto, quando Maria viu a oportunidade, ela simplesmente a agarrou!

Já ouvi algumas críticas à atitude de Maria. Já ouvi pregadores dizerem que ouvir o Mestre era prioridade, mas deixar a irmã trabalhando sozinha podia não ser o certo a fazer — quem sabe até seria uma demonstração de falta de amor com Marta. Não penso assim. Dada a sabedoria que mostrou ao escolher ficar ouvindo Jesus, com certeza Maria não era mulher de deixar as coisas pela metade nem de ser irresponsável nas suas tarefas. Penso que ela tinha discernimento, equilíbrio e noção de tempo, para não deixar que o trabalho a consumisse, a sufocasse, e tirasse a sua paz.

Maria era determinada e objetiva; tinha foco. Jesus ia chegar? Então, se ela queria ouvi-lo, precisava se organizar para isso. E creio que deve ter sido assim que ela fez: organizou as prioridades, e conseguiu: "Quanto a Maria, ela fez a escolha certa, e ninguém tomará isso dela" (Lc 10.42). Se fosse eu no lugar de Maria, sanguínea como sou, ainda diria a Marta: "Lá vem você com esse ativismo todo!". Mas Jesus era um cavalheiro, era manso e humilde de coração, e claro que não seria grosseiro com Marta.

Nós também já vimos esse filme de Maria na nossa vida. Quando nos organizamos, colocando tudo o que realmente tem importância como prioridade, somos como Maria. Quando damos mais valor às pessoas em detrimento das coisas, dos afazeres, do ser em detrimento do ter, somos como Maria. Quando queremos receber os elogios pelo que fazemos e que realmente tem importância para nós, como sentar e aprender aos pés de Jesus, somos como Maria. O fato é que não é o que fazemos que importa, mas *como* fazemos. Isso é o que determina a nossa escala de valores.

O aprendizado

Jesus foi um grande Mestre. É verdade que ele passou pouco tempo entre os discípulos, daí a urgência em ensinar-lhes e aos que também queriam ouvi-lo, como Maria. Analisando as duas irmãs, encontramos um pouco de nós em cada uma delas: um pouco do ativismo de Marta e do discernimento e da organização de Maria.

As muitas atividades do nosso dia a dia nos consomem. As cobranças de tudo o que nós, mulheres, conquistamos nos sufocam e consomem todo o nosso tempo. Ser bem-sucedida em tudo o que se faz tornou-se sinônimo de não ter tempo para nada, de tudo ser uma corrida contra o tempo, de estar sempre com a aparência de quem ainda tem muito mais a fazer, e de que um dia só nunca será suficiente.

Muitas vezes, quando estou imbuída do papel de Marta, eu me pego dizendo que deveria ser três, ou ter três cabeças, para que cada uma faça e pense muitas coisas, de tanto trabalho que tenho. E com você, é assim?

O salmo 46 nos apresenta bem a importância de aquietar-se para saber quem é Deus, a fim de podermos entender e usufruir de tudo que ele tem para nós. "Deus é nosso refúgio e nossa força, sempre pronto a nos socorrer em tempos de aflição. [...] Aquietem-se e saibam que eu sou Deus! [...] O Senhor dos Exércitos está entre nós; o Deus de Jacó é nossa fortaleza" (Sl 46.1,10-11).

Como saberemos quem é Deus se não nos aquietarmos? Como correremos em busca de refúgio e socorro nos tempos de aflição se não tivermos a direção certa? Como, nesta vida agitada, o reconheceremos em nosso meio? Aquietando o coração, a fim de ver quem realmente é importante em nossa vida. E digo *quem*, e não *o qu*e, porque pessoas sempre devem ser o mais importante.

> *Como saberemos quem é Deus se não nos aquietarmos? Como correremos em busca de refúgio e socorro nos tempos de aflição se não tivermos a direção certa? Como, nesta vida agitada, o reconheceremos em nosso meio? Aquietando o coração.*

O ativismo de Marta a deixou cega quanto ao que realmente tinha valor. Deixou-a irritada, murmuradora, a ponto de questionar o próprio Jesus e querer dar-lhe ordens: "Foi a Jesus e disse: 'Senhor, não o incomoda que minha irmã fique aí sentada enquanto eu faço todo o trabalho? Diga-lhe que venha me ajudar!'" (Lc 10.40). Marta era uma má pessoa por isso? Claro que não! Jesus a amava também e, por essa razão, precisava abrir-lhe os olhos. O Senhor tinha mais interesse na pessoa de Marta do que nos serviços dela. Com o pouco tempo que tinha entre seus amigos, ele podia passar muito bem sem receber a melhor hospitalidade, mas não queria passar sem Marta. Ele queria incluí-la entre os que aprendiam dele. Cristo tinha pouco tempo e precisava que os seus discípulos entendessem isso.

Jesus quis dizer a Marta que ela precisava organizar a vida de tal forma que pudesse usufruir do melhor. Por exemplo, o tempo que dedicamos a Jesus é sempre muito bem empregado. Maria entendeu isso muito bem. E o que nos chama a atenção e nos ensina sobre Maria é que nos evangelhos sempre a encontramos rendida aos pés de Jesus. A maioria dos rabinos judeus jamais aceitaria uma mulher como discípula, mas não Jesus!

O tempo que passamos com a família é importante demais. Quando nos relacionamos com os amigos, isso faz muito bem à nossa vida. Se ajudamos pessoas, isso enche nosso coração de paz. Enfim, tudo isso aprendemos com o exemplo de Cristo. Por esse motivo precisamos nos aquietar para ouvi-lo. Não há nada mais urgente do que isso, porque as demais coisas dependem do que recebemos dele como orientação, em aprendizado e no nosso relacionamento íntimo com ele.

Muitas vezes, a maneira pela qual demonstramos o nosso amor é entrando numa roda viva de trabalho ou serviços, a fim de darmos o melhor àqueles a quem amamos. Quantas vezes perdemos horas longe deles porque pensamos que, trabalhando para suprir as suas necessidades físicas, estamos dando o nosso melhor, demonstrando todo o nosso amor. Mas não estamos. Nenhum dinheiro ou poder deste mundo substitui a presença física, o abraço, o aconchego, as conversas. Tempo para cultivar os relacionamentos é o que há de mais importante para a família e as amizades sinceras.

Meus avós maternos moravam em uma fazenda e uma vez por semana vinham passar dois dias na cidade para resolver assuntos pendentes. O mais importante para eles, no entanto, era encontrar a família. Nesses dias, a casa em que eles ficavam tornava-se o ponto de encontro dos parentes, para a alegria de todos. Lá sempre encontrávamos tios, primos, amigos e todos aqueles que estavam perto do coração de meus avós. Meus pais seguiram esse exemplo, assim como nós, e passamos esse hábito para nossos filhos e netos. Para esses últimos, penso, com tristeza, será mais difícil segui-lo, pelo fato de o mundo estar cada dia mais corrido, com seus horários que atropelam um momento dos mais preciosos em família, ao redor da mesa. Lamento muito!

Jesus não quis dizer a Marta que o trabalho não precisava ser realizado, nem que os hóspedes não precisavam ser bem acomodados, mas que existiam outras prioridades, e que se matar de trabalhar com certeza não era uma delas. Isso a afetaria, atrapalharia sua vida e a faria perder a melhor parte. Jesus aconselhou Marta a pensar nas coisas espirituais, que são eternas, e pôr as prioridades no lugar certo. A Bíblia nos diz: "A preocupação deprime a pessoa, mas uma palavra de incentivo a anima" (Pv 12.25). Marta estava cheia de preocupações com os afazeres e esqueceu que podia receber de Jesus a boa palavra.

> *Jesus aconselhou Marta a pensar nas coisas espirituais, que são eternas, e pôr as prioridades no lugar certo. [...] Marta estava cheia de preocupações com os afazeres e esqueceu que podia receber de Jesus a boa palavra.*

Se pensamos em ser como a mulher virtuosa de Provérbios 31, temos de começar o nosso treinamento em casa, na família. Quem primeiro tem confiança nela é o seu marido. E isso, lembremos, foi escrito numa época em que ser mulher era quase como ser ninguém: "O marido tem plena confiança nela..." (Pv 31.11). Quem a chama de abençoada são os filhos: "Seus filhos se levantam e a chamam de 'abençoada'" (Pv 31.28).

Lendo toda a passagem da mulher virtuosa, podemos entender que ela morria de tanto trabalhar? Que a sua primeira preocupação era com o trabalho? Claro que não, haja vista os elogios do marido e o reconhecimento dos filhos. E, mesmo sem priorizar o trabalho, ela tem força, dignidade e não teme o futuro: "Veste-se de força e dignidade e ri sem medo do futuro" (Pv 31.25). Ouso dizer que, se Jesus chegasse à casa da mulher virtuosa de Provérbios 31, encontraria na mesma pessoa uma Marta na organização do lar e uma Maria em discernimento das prioridades. É necessário que vivamos nesse equilíbrio.

Não se esqueça de que o momento de render-se aos pés de Jesus é o mais importante do dia. Os períodos devocionais com ele nos enchem de alegria, de aprendizado e servem para que o adoremos de todo o coração. Esse também é um tempo precioso para apresentarmos nossa família ao Senhor, de orar por nossos filhos, de nos alegrar e de interceder por eles. Nenhum serviço no mundo é mais importante que esse. São momentos assim que nos põem rendidas aos pés do Senhor e aprendendo com ele.

Aprender com Jesus é entender que não agimos pelo nosso poder, mas que é o Senhor quem atua em nós; só ele detém todo o poder. Sem Deus não somos nada, como diz a história das luvas no varal. Eu a ouvi do bispo Alexandre Ximenes, da Igreja Episcopal Carismática, e gosto muito dela, que tem relação íntima com o assunto de que estamos tratando.

> Num hospital, havia um varal em que várias luvas tinham sido postas para secar. Uma era a luva de um neurocirurgião muito importante, a outra de um cirurgião cardíaco bem famoso, a outra era a luva de um obstetra dos melhores. No fim do varal, estavam luvinhas que pertenciam a uma enfermeira da triagem da emergência do hospital.
>
> A conversa entre as luvas dos figurões era interessante. Cada uma se vangloriava, considerando-se a mais importante.

> A luva do neurocirurgião dizia que era a mais importante, porque ia até o cérebro, onde estavam os pensamentos. A luva do cirurgião cardíaco protestava e afirmava que ela é que era a mais importante, pois trabalhava com o coração, ia até as veias e as artérias, por onde circulava o sangue que dava vida ao corpo. O protesto da luva do obstetra era veemente; ela se considerava a mais importante, porque trazia seres humanos à vida e, sem a vida, nenhum dos outros órgãos existiriam.
>
> A discussão foi ficando acirrada. Farta daquela vaidade toda, a luva da enfermeira gritou para que as demais se calassem. Surpresas com a audácia dela, as luvas que se consideravam mais importantes a olharam de cima a baixo, fazendo a maior concessão em ouvi-la. E a luvinha da enfermeira disse: "Nenhuma de vocês é a mais importante; as mãos que as calçam é que são importantes. Sem elas, vocês não passariam de luvas quaisquer".

Que palavras sábias! Amo imaginar a cara daquelas luvas orgulhosas e vaidosas. E nós? Ah, se não fossem as mãos de Deus que nos calçam! Digamos, como o salmista, sempre: "Eu te amo, SENHOR; tu és minha força. O SENHOR é minha rocha, minha fortaleza e meu libertador; meu Deus é meu rochedo, em quem encontro proteção. Ele é meu escudo, o poder que me salva e meu lugar seguro" (Sl 18.1-2).

O que você precisa fazer para viver esse verdadeiro aprendizado? Tão somente render-se aos pés de Jesus.

Para reflexão

1. Com base no exemplo de Marta e Maria, reflita se você se considera uma pessoa que deseja aprender mais de Deus. Por quê?

2. O que você poderia fazer para intensificar a busca pelo aprendizado acerca das coisas do reino de Deus em sua vida?

3. Quais passagens da Bíblia podem ser úteis nesse processo?

4. Escreva a sua oração.

4

Mulheres rendidas aos pés de Jesus em oração

> Jesus contou a seus discípulos uma parábola para mostrar-lhes que deviam orar sempre e nunca desanimar. Disse ele: "Havia numa cidade um juiz que não temia a Deus nem se importava com as pessoas. Uma viúva daquela cidade vinha a ele com frequência e dizia: 'Faça-me justiça contra meu adversário'. Por algum tempo, o juiz não lhe deu atenção, mas, por fim, disse a si mesmo: 'Não temo a Deus e não me importo com as pessoas, mas essa viúva está me irritando. Vou lhe fazer justiça, pois assim deixará de me importunar'".
>
> Lucas 18.1-5

No momento de seu ministério em que Jesus conta essa parábola, ele já havia atraído muitos seguidores, selecionado seus apóstolos e conquistado inimigos. Ele já havia lamentado sobre Jerusalém, curado num sábado, chamado ao arrependimento, criticado os líderes religiosos e feito muitas coisas que chamavam bastante atenção por onde ele passava. Antes de contar essa parábola, Jesus entrega uma mensagem de deixar os corações realmente gelados: ao responder a uma pergunta dos fariseus sobre o reino de Deus, Jesus conversou com seus discípulos sobre sua segunda vinda e os cuidados que eles deveriam ter em relação a falsos sinais da sua presença, sobre o perigo da falta de compromisso espiritual e dos sofrimentos que se avizinhavam. Foi quando ele proferiu a parábola da viúva, a fim de dizer que, diante de tudo o que estava por acontecer, era muito importante ter fé, orar e perseverar.

Se nessa parábola há dois personagens que dialogam, há um terceiro que não participa da conversa entre a viúva e o juiz, mas é o mais importante: Deus. Afinal, só o Senhor proporciona a verdadeira justiça para o homem. Do mesmo modo que um advogado vai até o Supremo Tribunal Federal, a instância máxima, por uma causa, na pessoa de Jesus o Pai foi até a última instância por nós, pecadores: "Pois Deus fez de Cristo, aquele que nunca pecou, a oferta por nosso pecado, para que por meio dele fôssemos declarados justos diante de Deus" (2Co 5.21).

Podemos imaginar que a viúva da parábola devia estar com uma grande dificuldade, o que a levou a insistir tanto com aquele juiz. Ele era um homem difícil, duro, orgulhoso, sem temor a ninguém, uma verdadeira decepção para quem o procurava. Sou advogada e sei que no meio jurídico existem juízes assim, como também existem outros cheios de compaixão pelas pessoas. Tenho o exemplo de uma juíza do Amazonas, uma mulher de Deus, coordenadora do Desperta Débora para a Região Norte, e de um juiz de quem fui estagiária na 2ª Vara Cível do Tribunal de Justiça da Paraíba que me ensinou o que é aplicar a lei com justiça e misericórdia.

Se, como já vimos, ser mulher era difícil naquela época, imagine ainda por cima sendo viúva. Não era uma situação fácil. Se ela não tivesse filhos, então a coisa piorava muito, pois, sem ter quem trabalhasse por ela, passaria a depender das esmolas das pessoas.

Ao contar essa parábola, Jesus quis tratar de oração, mas, mais do que isso, quis destacar a importância da perseverança na oração em favor de uma causa que esteja em acordo com a Palavra de Deus. Ele destaca, então, que o sincero e humilde clamor fará Deus se comover e, no tempo certo, se levantar a nosso favor. Deus é um pai amoroso, justo, gracioso, misericordioso e está sempre atento ao clamor dos seus. "O Senhor responde: 'Vi a violência cometida contra os indefesos e ouvi o gemido dos pobres. Agora me levantarei para salvá-los, como eles tanto desejam'" (Sl 12.5). Sim, o Senhor ouve o necessitado, o que precisa, aquele que bate à sua porta. Deus está vigilante, velando pelos seus: "Aquele que guarda Israel não cochila nem dorme" (Sl 121.4).

Em seu livro *Oração: Experimentando intimidade com Deus*, o pastor Timothy Keller diz: "A Bíblia toda fala de Deus; por isso, a prática da oração é tão disseminada em suas páginas. A grandiosidade da oração nada mais é que uma extensão da grandiosidade e da glória de Deus em nossa vida. As Escrituras são um longo testemunho dessa verdade".[1]

A viúva e o juiz

A viúva da parábola não tinha ninguém de sua família que a ajudasse, nem filhos, nem parentes homens, nem irmãos, netos, sobrinhos... ninguém. Isso fica claro pelo fato de que ela mesma se dirigia até o juiz, pois normalmente um homem da família teria esse papel. E ela fez isso inúmeras vezes e com frequência. Não era permitido a uma mulher tomar tal atitude; os homens é que tomavam por ela.

Jesus não explica qual era exatamente a causa daquela viúva, mas, pelo jeito, devia ser algo de extrema importância para aquela mulher ser tão ousada e decidida. E penso que ela devia ter certeza de que a sua causa era justa e correta, para lutar tão bravamente pelos seus direitos.

Gosto muito dessa parábola, pois entendo que tem de existir pelo menos um pouco dela em cada uma de nós, mulheres que queremos seguir Jesus. Podemos aprender muito com tudo o que o Senhor ensinou sobre ela — e até mesmo com o juiz, por que não? Na minha querida Paraíba, diríamos que aquela era uma mulher valente, guerreira, que não temia as dificuldades. Conheço muitas mulheres como ela.

Seria muito mais fácil para a viúva se acomodar. O juiz não lhe dava atenção, ninguém a ajudava a pleitear a causa, então o melhor mesmo seria se aquietar e deixar para lá. Quem sabe já não agimos assim em vários momentos da vida? Você se lembra de algum? É tão mais fácil se acomodar! Muitas vezes, o desânimo toma conta do nosso coração e tudo contribui para não perseverarmos. Mesmo as pessoas ao nosso redor frequentemente não ajudam; só desestimulam e atrapalham.

> *Seria muito mais fácil para a viúva se acomodar. O juiz não lhe dava atenção, ninguém a ajudava a pleitear a causa, então o melhor mesmo seria se aquietar e deixar para lá. Quem sabe já não agimos assim em vários momentos da vida? Você se lembra de algum?*

A viúva tinha um enorme obstáculo pela frente. Se a sua causa estava para ser julgada por um juiz, era porque não se tratava de algo simples, que pudesse ser resolvido com uma conversa qualquer. Existia um adversário: "Faça-me justiça contra meu adversário" (Lc 18.3), clama aquela mulher. Podemos inferir, então, que havia também pessoas exercendo pressão do outro lado. Do que podemos levantar sobre a vida de uma mulher viúva e sozinha naquela época, na sua luta eram grandes as dificuldades. E, para completar seu infortúnio, a ação cai justamente nas mãos daquele terrível juiz, desalmado, sem amor, nem misericórdia, sem temor a Deus, nem respeito por pessoa alguma.

Pelo que Jesus conta, podemos entender que ela foi diversas vezes bater na porta daquela fria autoridade e ele, na sua indiferença, não a escutou, nem lhe deu atenção. A atitude desse juiz mexe demais com o meu coração. Fervo de indignação! Já vi tanta coisa parecida na época em que eu trabalhava na área do direito! Não podemos deixar que poder nenhum deste mundo, seja ele grande, seja pequeno, intervenha no nosso senso de justiça e de misericórdia. O juiz sabia que a mulher tinha razão, mas não se importou, não teve compaixão de sua situação de viúva sozinha. Ela clamava por seus direitos, por justiça, e pedia ao juiz que lhe desse atenção e entendesse que ela estava com a razão. Infelizmente, ele não quis ouvi-la. O tempo foi passando, não havia solução à vista, o juiz não a escutava.

Mas toda essa dureza de coração tinha um propósito para Jesus. O juiz da sua parábola precisava ter um coração duro, não podia ter temor a Deus nem se incomodar com ninguém. A dureza do coração foi estabelecida por ele, justamente para enfatizar a perseverança da viúva. O tempo passava e nada acontecia, o juiz não se decidia. E a viúva voltava e voltava, importunava o juiz, o seu clamor era constante e interminável. Ela queria uma solução! O juiz terrível tinha de ajudá-la, mas, pelo jeito, parecia impossível!

Escrevendo sobre essa viúva, eu me lembro das cinco filhas de Zelofeade, tema central do meu livro *Mulheres que comovem o coração de Deus*. É uma história de luta pelos direitos, só que aquele juiz era alguém bem diferente: Moisés, um homem de Deus, tinha compaixão e se preocupava com as pessoas. Ele ouviu aquelas mulheres e prontamente levou a causa delas perante o Senhor, que as atendeu. Por isso, a lei de Israel no que dizia respeito a heranças foi alterada: "A reivindicação das filhas de

Zelofeade é justa. Dê a elas uma porção de terra entre os parentes de seu pai, a herança que teria sido entregue a seu pai" (Nm 27.7).

Possivelmente, a viúva da parábola estava se sentindo como as filhas de Zelofeade se sentiram. Deus era o mesmo; só a causa é que havia mudado: das filhas de Zelofeade para a causa de uma viúva. O juiz também mudara; o de antes era o justo Moisés, o outro era um homem iníquo. A maravilha é que o Deus, o único Deus, era o mesmo, o Deus de toda a nossa justiça. E hoje Deus continua sendo o mesmo!

A perseverança na oração

Muitas vezes nós desanimamos e desistimos de orar por uma causa. Apresentamos ao Senhor o assunto, mas não colocamos nele a nossa alma, o nosso ardor e a nossa determinação de quem está a pleitear algo. Oramos banalmente, sem força, sem entrega de coração; oramos por orar. É isso que o Mestre quis ensinar aos discípulos. A oração morna, sem vida, é uma oração sem fé e fatalmente vamos desistir dela.

Conheci Sísera há quase dez anos, num congresso do Desperta Débora em Caldas Novas. Gostei do jeito dela, apesar de a apresentação ter sido rápida. Com o passar dos anos, ficando mais próxima, passei a admirar sua força e determinação e, quando ela me contou da situação de seu filho com as drogas, encantou-me sua fé e perseverança no Senhor. Choramos juntas algumas vezes, em oração, clamando pela vida de seu filho.

Ela já está nessa luta há mais de onze anos! Nessa jornada, ela sabe o que é ter, em alguns momentos, a esperança brutalmente roubada pelas lutas e dificuldades. Neles, Sísera voltava no tempo para se lembrar de que havia uma promessa. "Quando as circunstâncias eram contrárias e totalmente duvidosas, pela graça do Senhor, eu me posicionava com firmeza e obstinadamente confiava no poder e no amor do meu Deus. Acreditar era o que me restava. Meu filho primogênito é o personagem principal de uma história que ainda continua sendo escrita. Mas nesses quase doze anos de oração, todos pudemos ver o agir do Senhor em sua vida. Há alguns anos ele está firme servindo a Deus. Sem as drogas, agora tem formação universitária, está formando sua família e tem vivido muitas outras vitórias, com a ajuda e proteção do Senhor. Quanto a mim, continuo perseverando, batendo na porta de Deus, crendo nas promessas do Pai. Meus pés estão firmados na Rocha que é Jesus, o autor e consumador da minha fé", disse-me ela.

Quando clamamos a Deus, buscamos não um juiz como o da parábola, iníquo, duro de coração, que se acha muito melhor do que as demais pessoas. Estamos pedindo a um Pai amoroso, cheio de compaixão, que renove suas misericórdias todas as manhãs para não sermos consumidos nas lutas da vida: "Suas misericórdias são inesgotáveis. Grande é sua fidelidade; suas misericórdias se renovam cada manhã" (Lm 3.22-23).

No livro *Jesus pela ótica do Oriente Médio*, de Kenneth E. Bailey, o escritor diz o seguinte sobre essa parábola:

> A igreja que sofreu ao longo dos séculos sempre encontrou estímulo e coragem nessa parábola, como Ibn al-Tayyib escreveu em Bagdá um milênio atrás: "Dizem que o objetivo dessa parábola é esclarecer o que compete aos crentes durante a vida da igreja presente no que diz respeito à perseverança e à persistência em oração sincera e fervorosa. Os fiéis oram com plena confiança de que, se conseguirem isso, não há dúvida de que Deus virá a eles com alegria, olhando para as suas dores e aflições, e lhes concederá a vitória no momento oportuno. [...] A persistência na oração é apropriada para o fiel até que haja uma resposta. Se Deus negar o pedido, ou oferecer uma solução diferente da solicitada, o fiel deve responder: 'Seja feita a tua vontade'. Contudo, antes que a resposta seja clara, a persistência na oração faz parte da verdadeira piedade".[2]

Um ensinamento muito importante dessa parábola sobre a nossa vida de oração é que não devemos deixar para orar só nos momentos de necessidade. Sei que sempre precisamos de algo, mas refiro-me às situações mais difíceis, em que tudo parece escuro e sem cor. A oração é o canal da nossa conversa com o Senhor e o meio pelo qual vamos manter nossa intimidade com ele. Orando, louvamos a Deus, o adoramos na sua santidade, agradecemos por tudo que ele nos tem feito e também, em confiança e pela fé, com perseverança, lhe apresentamos nossas súplicas. A oração sincera e feita com toda a alma comove e move o coração de Deus. Precisamos ter uma vida de oração para experimentar o que é o poder divino, saber que nunca estamos sós, e ter nossa vida transformada.

À medida que avançava na escrita de meu primeiro livro, *Mães de joelhos, filhos de pé*, eu era ministrada pelo Espírito Santo quanto à oração:

> Em oração, podemos ver, em todo o tempo, a bondosa mão de Deus a nos sustentar e ensinar. Com humildade e em arrependimento, aprendemos a ouvir nosso amado cada dia mais, entendendo que somos absolutamente dependentes dele, em todas as áreas da nossa vida. Depois de nos entregarmos a Cristo, nossa vida é transformada. Um novo caminho se descortina à frente, rumo à intimidade com Deus. Jamais nos contentaremos com menos; dali para a frente, será sempre tudo ou nada.[3]

Jesus quis mostrar essa realidade na história da viúva perseverante: para ela, era tudo ou nada! Por isso, aquela mulher tentaria de novo e de novo! Ela era mesmo insistente: "Uma viúva daquela cidade vinha a ele com frequência e dizia: 'Faça-me justiça contra meu adversário'" (Lc 18.3). A perseverança na oração transforma, sim, a nossa vida. Precisamos entender o tesouro que representam os momentos de oração e intimidade com o Senhor.

Quem passa o controle da vida para Jesus não pode deixar de ter uma vida compromissada com a oração, e de buscar o Senhor em suas necessidades. Nossas conquistas precisam de um fundamento forte, de um alicerce profundo. O alívio nas dificuldades para o nosso coração, o refrigério para a nossa alma em todos os momentos é conhecer ao Senhor e poder orar a ele. O amor a Deus e a comunhão com ele estão acima de tudo na vida. Por colocar Deus na posição central, gozaremos do seu cuidado poderoso e eterno. Teremos ao nosso lado o Soberano, o Todo-poderoso, o Justo Juiz.

> *Quem passa o controle da vida para Jesus não pode deixar de ter uma vida compromissada com a oração, e de buscar o Senhor em suas necessidades. Nossas conquistas precisam de um fundamento forte, de um alicerce profundo.*

Precisamos nos render aos pés de Jesus em oração, porque ele é a fonte de vida. Ninguém honrou mais a mulher do que Cristo. Ninguém colocou a mulher num patamar tão alto quanto ele. Também precisamos nos proteger e nos guardar das setas atiradas pelo maligno contra nosso coração e nossas emoções. "Acima de todas as coisas, guarde seu coração, pois ele dirige o rumo de sua vida" (Pv 4.23), alerta a Escritura.

É no meio de uma situação problemática na família ou de uma fase econômica difícil, por exemplo, que Deus olha nosso comportamento, observa como lidamos com as adversidades. Muitas vezes pessoas negativas e que já não creem em nada nos dizem: "Não tem mais jeito, desista, não adianta insistir". No entanto, se estamos em oração, ligadas no céu, entendemos que Deus está nos olhando e que precisamos afirmar para nós mesmas: "Eu sei que está difícil, que não vejo luz à frente, mas eu creio, não vou desistir, vou caminhar, confiar, bater e bater na porta até que o Senhor me mande uma resposta!".

Refletindo sobre a fé e a confiança em Deus, que nos levam a orar sem desistir, penso que a nossa confiança nele tem de ser ainda maior do que a que há entre trapezistas durante um salto mortal. Lembrando-me dos grandes circos e lendo sobre os saltos sem a rede de proteção, atentei para a importância dos movimentos. O trapezista que se joga no ar não deve realizar nenhum movimento até que o trapezista que vai pegá-lo agarre as suas mãos. Qualquer movimento imprevisto daquele que se joga pode ser fatal. E ele precisa ter a mais absoluta confiança de que as mãos do que vai segurá-lo estarão lá, firmes, na hora exata, no lugar certinho. Sendo assim, é necessário existir a mais absoluta confiança entre eles.

A nossa confiança em Deus precisa ser semelhante. Precisamos deixar que o Senhor segure nossas mãos e nos guie. Não podemos usar nossas mãos fora da vontade dele, sob o risco de despencarmos para a morte e o dano. Mas só podemos ter essa confiança absoluta se tivermos a certeza de que somos amadas por Deus. Muitas pessoas ainda não sentem esse amor e não entendem, por isso não confiam e tomam tudo nas próprias mãos. Se tivermos confiança em Deus e certeza de que somos amadas por ele, não importa o tamanho do nosso problema. Sabemos que temos um Pai que nos ama, que segurará nossas mãos e nos guardará do mal. "Por isso, podemos dizer com toda a confiança: 'O Senhor é meu ajudador, portanto não temerei; o que me podem fazer os simples mortais?'" (Hb 13.6); "O SENHOR o guarda de todo mal e protege sua vida. O SENHOR o guarda em tudo que você faz, agora e para sempre" (Sl 121.7-8);

"Aqui no mundo vocês terão aflições, mas animem-se, pois eu venci o mundo" (Jo 16.33).

As promessas de Deus para os que nele confiam são monumentais. E a confiança nelas vem por meio da oração; assim, devemos perseverar na oração, como aquela viúva. Apesar de toda injustiça deste mundo violento e sem paz, de juízes como o da parábola e de milhares de seres humanos duros de coração, a batuta principal da orquestra da vida está nas mãos do Senhor, e a ele podemos nos achegar, orar e persistir, sem que isso chegue a importuná-lo.

O que você precisa fazer para viver essa vida de oração? Tão somente render-se aos pés de Jesus.

Para reflexão

1. Com base no exemplo da viúva da parábola de Jesus, reflita se você se considera uma pessoa perseverante nas suas petições a Deus.

2. O que você pode fazer para intensificar sua perseverança em oração?

3. Quais passagens da Bíblia podem ser úteis nesse processo?

4. Escreva a sua oração.

5

Mulheres rendidas aos pés de Jesus em fé

> Uma mulher cananeia que ali morava veio a ele, suplicando: "Senhor, Filho de Davi, tenha misericórdia de mim! Minha filha está possuída por um demônio que a atormenta terrivelmente". Jesus não disse uma só palavra em resposta. Então os discípulos insistiram com ele: "Mande-a embora; ela não para de gritar atrás de nós". Jesus disse à mulher: "Fui enviado para ajudar apenas as ovelhas perdidas do povo de Israel". A mulher, porém, aproximou-se, ajoelhou-se diante dele e implorou mais uma vez: "Senhor, ajude-me!". Jesus respondeu: "Não é certo tirar comida das crianças e jogá-la aos cachorros". "Senhor, é verdade", disse a mulher. "No entanto, até os cachorros comem as migalhas que caem da mesa de seus donos." "Mulher, sua fé é grande", disse-lhe Jesus. "Seu pedido será atendido." E, no mesmo instante, a filha dela foi curada.
>
> Mateus 15.22-28

Gosto muito da história da mulher cananeia. Como mãe de seis filhos — entre os quais incluo dois genros e uma nora —, avó de seis netos e coordenadora de um movimento de mães que oram por seus filhos, sou muito comovida pela história dessa mulher.

A mulher cananeia não estava contada entre os judeus; ela era uma gentia, descendente dos cananeus, contra os quais Josué lutou. Ao atendê-la, Jesus mostrou que sua luz também iluminaria os gentios, porque os seus não o receberam, discutiram com ele, o afrontaram, o humilharam e, por fim, o crucificaram: "Aquele que é a verdadeira luz, que ilumina a todos, estava chegando ao mundo. Veio ao mundo que ele criou, mas o mundo não o reconheceu. Veio a seu próprio povo, e eles o rejeitaram. Mas, a todos que creram nele e o aceitaram, ele deu o direito de se tornarem filhos de Deus" (Jo 1.9-12). Sobre ele, diz ainda a Escritura: "Ele é uma luz de revelação às nações" (Lc 2.32).

A Bíblia está repleta de relatos de pessoas que buscaram por Jesus. E, porque o buscaram, fizeram a diferença. Homens e mulheres que fizeram a vida valer a pena. Nesse grupo, quero incluir as mães que oraram pelos seus filhos, que por eles foram à luta, não mediram distâncias nem barreiras culturais, e prostraram-se diante do Senhor, como foi o caso dessa mãe cananeia.

Nessa ocasião, Jesus vinha de um tremendo embate com os escribas e os fariseus: "Então os discípulos vieram e perguntaram: 'O senhor sabe que ofendeu os fariseus com isso que acabou de dizer?'" (Mt 15.12), ao que Jesus retrucou: "Toda planta que meu Pai celestial não plantou será arrancada pela raiz. Portanto, não façam caso deles. São guias cegos conduzindo cegos e, se um cego conduzir outro, ambos cairão numa vala" (Mt 15.13-14). Ao deixá-los, Jesus se dirigiu à região de Tiro e Sidom, onde hoje fica o Líbano.

Muitos judeus residiam ali, mas o povo daquela região, em geral, não era amigável com eles. Era uma terra de gentios, território de antigos inimigos, que algumas vezes se aliaram a Israel. Ali, Jesus teve mais um daqueles encontros que lhe serviram para que instruísse os discípulos, mas que também mudaram a vida de uma família.

A história da mãe cananeia, ou mulher siro-fenícia como o evangelista Marcos a chamou, está registrada nos evangelhos de Mateus e Marcos. Esse episódio causa impacto até nossos dias, pela ousadia, coragem e fé daquela mãe. A mulher cananeia nos dá a mais absoluta certeza de que a diferença para um mundo cheio de indiferenças é Jesus!

O pregador Charles Spurgeon escreveu no seu brilhante sermão sobre a mulher cananeia:

> O Senhor é capaz de fazer uma fé vigorosa surgir e crescer cercada de pouco conhecimento, escassa alegria e raro encorajamento. Fé vigorosa que triunfa e vence em tais condições, glorificando a graça de Deus em dobro. Assim era essa mulher cananeia, um cedro crescendo em solo bastante limitado. Mulher de fé surpreendente, embora devesse ter ouvido falar pouca coisa daquele Messias em quem cria. Talvez nunca o tivesse visto pessoalmente até o dia em que prostrou-se aos seus pés e disse: "Senhor, socorre-me!".[1]

O pedido e a resposta

Vamos tentar nos pôr no lugar dessa mulher. Quem já viu ou lidou com alguém endemoninhado sabe bem que não é uma situação fácil. Pelo contrário, é terrível. Para libertar uma pessoa nesse estado é preciso muita luta.

A pessoa possessa fica fora de si e não se dá conta do que faz nem do que diz, porque os espíritos imundos que a possuem comandam seu corpo e sua mente. Tais entidades se manifestam frequentemente com uma força sobre-humana. Esses são só alguns dos muitos sintomas de uma pessoa endemoninhada. Imagine o que é para uma mãe ver a filha nesse estado! Vejam o que aquela mãe desesperada disse: "Senhor, Filho de Davi, tenha misericórdia de mim! Minha filha está possuída por um demônio que a atormenta terrivelmente" (Mt 15.22). Note a ênfase que ela dá: *a atormenta terrivelmente.*

Tente sentir a dor daquela mãe. Que sofrimento! Ver a filha querida sofrendo lhe doía tanto que ela não teve nenhuma restrição de implorar ao Senhor, humilhando-se. A libertação da filha seria um gesto de misericórdia para ela, e Jesus não se privou de estender-lhe tal gesto. O Senhor a acolheu quando viu a sua grande fé. No livro *Mães de joelhos, filhos de pé*, escrevi sobre esse sentimento materno, que enche o coração e transborda.

> O sentimento materno é uma das mais fortes expressões de amor humano — se não a maior delas. Quando uma mãe sente, pela primeira vez, o filho no ventre ou no coração, no caso do filho adotivo, nasce ali um vínculo para o resto da

> vida. O coração materno, preparado por Deus para esse momento, desabrocha e se envolve com aquele ser de maneira profunda e indissolúvel. São laços que se formam para toda a vida. O amor materno é sublime, cantado e enaltecido ao longo da história por poetas e cantadores, em rima perfeita, suave e harmônica.[2]

Meu trabalho como coordenadora do movimento Desperta Débora me leva a conhecer mães que vivem grandes tormentos com filhos presos pelo maligno. Não só por possessão demoníaca, mas presos por abraçar valores que gritam contra a Palavra de Deus e os seus mandamentos. São prisioneiros na alma e nos sentimentos e que, por essa razão, encontram-se em cadeias espirituais, afastados de tudo o que pode levá-los a Deus.

Qual é a mãe que não quer o melhor para seus filhos? Qual é a mãe cristã que não quer ver os filhos rendidos aos pés do Senhor, firmes, andando com Jesus? Por isso o desafio do Desperta Débora é chamar as mulheres a um compromisso de oração pelos filhos, levantando-as a se posicionar contra os valores diabólicos que os devoran
mais e mais a cada dia. Não colocamos filhos no mu
do para povoar o inferno, e tenho a impressão de q
mãe cananeia sabia bem disso. Ela não queria
nas mãos dos demônios que a atormentavam t
a queria liberta por Jesus de Nazaré, o Messi
de Deus! Nós queremos também os nossos fil
todo jugo, rendidos somente ao poder de Je

> *Não colocamos filhos no mundo para povoar o inferno, e tenho a impressão de que a mãe cananeia sabia bem disso. Ela não queria a filha nas mãos dos demônios que a atormentavam tanto; ela a queria liberta por Jesus de Nazaré, o Messias, o Filho de Deus!*

A mulher cananeia morava naqueles arredores e, apesar de não ser judia, com certeza já tinha ouvido falar de Jesus, e, ao vê-lo chegar, fez a aproximação da maneira certa. Os discípulos não viram além das circunstâncias — o Mestre estava cansado e aborrecido pelo desgaste com os fariseus — e, por essa razão, interferiram no sentido de afastar a mãe. Eles sabiam que Jesus estava cansado, eles também estavam, e, agora, aquela mulher gritava e im-
...nava. E ainda mais uma gentia! Que absurdo! Será
...odiam lhe dar um minuto de sossego? A mulher,
...o desistiu. Ela clamou e pediu socorro. Ela
...fazer qualquer sacrifício para libertar
...primia.
...iuda? A quem vai nosso pe-
...os? Num tempo em que
...ara onde olhamos
...vizinho ou o Se-
...o: 'De onde me virá
...HOR, que fez os céus e
...de daquela mulher nos
...nder a quem vamos pedir
...avi...". A divindade principal

dos cananeus era Baal, no entanto ela volta-se para o Deus verdadeiro. Assim devemos nós fazer.

Jesus não respondeu ao primeiro clamor da mulher e aparentemente não lhe deu atenção. Ele parecia indiferente. O silêncio absoluto foi a sua resposta. Que estranho! Jesus não costumava agir assim; pelo contrário, ele acolhia os sofridos, os ouvia, curava os enfermos, libertava pessoas de espíritos malignos. O que estava havendo? Esse não era o Jesus do qual ela ouvira falar. Em seu livro *Jesus e as mulheres*, a escritora Sharon Jaynes escreveu:

> Você fica aborrecida por Jesus não ter respondido a ela imediatamente? O silêncio dele faz seu coração estremecer? Admito que, quando leio a cena, prendo a respiração diante da reação inicial de Jesus. Isso deve ter sido um grande grito de rejeição para aquela mulher sofrida, mas Jesus tinha uma carta na manga. Estava usando aquela oportunidade para transmitir ensinamento aos discípulos e a todos os que leriam suas palavras no futuro. Ah, querida amiga, o fato de não ouvirmos uma resposta imediata de Deus não significa que ele não esteja ouvindo. Não significa que ele rejeitou nosso pedido. Pode significar que ele tem algo mais em mente ou queira nos fazer ter um entendimento mais profundo da situação. Talvez ele esteja nos levando a um lugar tão bom que nossa mente necessita fazer uma pausa para encontrá-lo. O que vemos e ouvimos sobre a obra de Deus é minúsculo quando comparado à obra magnífica que não vemos.[3]

Quando os discípulos falaram sobre aquela incômoda mulher, Jesus foi ainda mais desencorajador e praticamente acabou com as expectativas dela. "Jesus disse à mulher: 'Fui enviado para ajudar apenas as ovelhas perdidas do povo de Israel'" (Mt 15.24). Agora era demais! Ele não a considerava digna de sua atenção apenas porque ela não era judia? O desencorajamento que ela encontrou nas palavras de Jesus foi muito forte e, cá entre nós, faria a esmagadora maioria das pessoas desistir. Ele não viera para "pessoas iguais a ela". Aquela mãe, já tão machucada, poderia ter sucumbido ante mais aquela pancada da vida, dado as costas e ido embora. Ninguém poderia repreendê-la se ela dissesse: "É este que todos falam ser cheio de amor e misericórdia? É este que veio para libertar os cativos?".

Quantas vezes dizemos ou ouvimos palavras assim? Presenciamos pessoas questionarem que Deus é esse que não cura, não ouve o clamor de tantos, permite tantas tragédias? Quantas vezes palavras assim deixam o nosso coração, já tão doído, bem apertadinho, não é verdade? E é nessa fragilidade que mora o perigo de nos afastarmos do Senhor ou trocá-lo por qualquer vento de doutrina que apareça diante de nós. Precisamos ser firmes na fé e fortes, profundas no conhecimento da Palavra de Deus! "Mas quem ouve meu ensino e não o pratica é tão tolo como a pessoa que constrói sua casa sobre a areia. Quando vierem as chuvas e as inundações e os ventos castigarem a casa, ela cairá com grande estrondo" (Mt 7.26-27).

Viajo muito pelo Brasil e tenho percebido, entre certos grupos de cristãos, uma moda forte, porém completamente antibíblica. As pessoas substituíram as orações pela "determinação" de tudo o que desejam. Em vez de clamar e se humilhar como a mulher cananeia, dizem absurdos como "Deus, eu *determino* tal coisa!". Elas dão ordens a Deus! É uma loucura imaginar a cananeia fazendo isso com Jesus!

> *Viajo muito pelo Brasil e tenho percebido, entre certos grupos de cristãos, uma moda forte, porém completamente antibíblica. As pessoas substituíram as orações pela "determinação" de tudo o que desejam. Em vez de clamar e se humilhar como a mulher cananeia, dizem absurdos como "Deus, eu determino tal coisa!".*

Ao abraçar essa doutrina bizarra de "determinar algo a Deus", colocamos o Senhor na categoria de nosso serviçal. Os adeptos dessa prática apócrifa à Escritura se esquecem de que o amor de Deus é graça e misericórdia e que ele não desampara quem o busca de todo o coração: "'Naqueles dias, quando vocês clamarem por mim em oração, eu os ouvirei. Se me buscarem de todo o coração, me encontrarão. Serei encontrado por vocês', diz o SENHOR" (Jr 29.12-14). Precisamos nos proteger desses ensinamentos humanos e ter muito cuidado com a nossa fé.

Muita gente fica magoada com Jesus porque ele não atende a seus desejos e não percebe que, muitas vezes, ele só deseja um pouco mais de perseverança e fé de nossa parte — e isso para o nosso próprio bem. Não será em todas as vezes que clamarmos que o Senhor nos atenderá na hora ou da maneira que lhe pedimos. Deus conhece o futuro, enxerga nossos passos, sabe o que pode ser bom ou mau. O tempo de responder e a forma de responder pertencem a ele. Recusar uma resposta imediata é também um modo de nos aperfeiçoar, lapidar e fortalecer na fé. Precisamos estar sempre prontos a receber as bênçãos que Deus tem para nos dar, assim como devemos nos submeter humildemente ao tempo dele no que se refere à resposta aos nossos pedidos.

A mãe cananeia é perseverante. Depois do silêncio inicial de Jesus e de sua resposta excludente, mais uma vez ela é rechaçada por ele. Ao se ajoelhar e gritar "Senhor, ajude-me!" (Mt 15.25), aquela mulher ouve de Jesus palavras duríssimas e que aparentemente deveriam lhe tirar toda a esperança: "Não é certo tirar comida das crianças e jogá-la aos cachorros" (Mt 15.26). Poucas pessoas teriam aguentado ouvir caladas essa afirmação. "Cachorros"! Então, para aquele a quem as pessoas chamavam de Messias, Salvador, Libertador, além de estranha, ela também era "cachorro"? Que comparação! Ela era capaz de aguentar isso dos outros, mas... dele? Deve ter doído muito ouvir isso.

Penso que nós, mulheres do século 21, empoderadas e donas de um ego enorme, não aceitaríamos pacificamente uma comparação como essa. Não mesmo! Por muito menos sacamos as nossas conquistas e direitos e partimos para cima, seja de quem for. Com certeza ficaríamos extremamente indignadas e rebateríamos uma afirmação como essa com veemência.

Mas não foi o que a mulher cananeia fez.

Ela tinha um objetivo: a libertação da filha. Isso era mais importante que qualquer outra coisa. Ela não se importava de ser humilhada, desde que sua filhinha fosse liberta daquela situação horrível. Charles Spurgeon pregou certa vez sobre essa passagem e imaginou qual seria o pensamento da mulher cananeia:

> Não posso dizer que és meu Pai, Senhor, tampouco erguer os olhos e reivindicar o privilégio de ser teu filho. Mas tu, pelo menos, és meu mestre, meu Senhor, e os senhores, os donos, dão de comer a seus cães. Pelo menos, as migalhas que caem de sua mesa eles deixam para os cachorros que os têm como dono. [...] A mulher observa a relação do cachorrinho com seu dono e tira o máximo proveito disso com bendita criatividade, que faríamos bem imitar.[4]

Não adianta clamar a Jesus e se achar no direito de receber alguma coisa. Temos de reconhecer que somos pecadores e, se não fosse a misericórdia e o amor do Senhor, não estaríamos aqui. "Ainda ouso, porém, ter esperança quando me recordo disto: O amor do Senhor não tem fim! Suas misericórdias são inesgotáveis. Grande é sua fidelidade; suas misericórdias se renovam cada manhã. Digo a mim mesmo: 'O Senhor é minha porção; por isso, esperarei nele!'" (Lm 3.21-24).

A mulher cananeia sabia o que estava em jogo: a libertação da sua filha. Nada mais importava. Ela podia ser desprezada, humilhada, rejeitada por todos, mas precisava do favor de Jesus. Por isso, aquela mãe aquietou a alma. Não era possível que tudo o que ouvira a respeito dele não fosse verdade. O objetivo dela era comover o coração de Jesus e obter dele misericórdia. Ela não desistiria, nem que fosse só para receber as migalhas dele!

A fé

A história da mulher cananeia mostra que a fé leva a uma entrega de vida a Jesus, que, por sua vez, traz esperança, confiança e o abandono da acomodação. A fé verdadeira impulsiona a transpor obstáculos, fazer uma avaliação dos recursos que se tem em mãos e mudar, apesar das circunstâncias da vida.

Fé não é um sentimento, embora nos leve a sentimentos e a grandes emoções. Fé é muito mais; é dom de Deus: "Vocês são salvos pela graça, por meio da fé. Isso não vem de vocês; é uma dádiva de Deus. Não é uma recompensa pela prática de boas obras, para que ninguém venha a se orgulhar" (Ef 2.8-9). A fé vem pela graça pura de Deus, derramada sobre o homem pecador.

Apesar de ter como resposta a seu clamor o silêncio, a aparente indiferença, o desencorajamento e a exclusão de Jesus, aquela mulher não se sentiu intimidada; pelo contrário, ela se aproximou e o adorou, porque a fé que tinha em Jesus a fez seguir adiante. Apesar de não ser israelita, ela sabia muito bem quem era Jesus. Mesmo sabendo-se indigna, ainda assim queria o socorro dele. Havia uma esperança, e ela se agarrava a isso de todo o coração e com toda a fé. E daí que eram só migalhas? Para ela, as migalhas do Filho de Deus lhe bastavam, eram suficientes para o seu propósito de libertação da filha.

Quando aquela mãe se rende aos pés de Jesus, humilhando-se ainda mais diante dele e aceitando as migalhas, gosto de pensar que o coração do Mestre ferveu diante da fé daquela mulher e do amor dela por sua filha. Ela não aguentava mais, havia chegado ao limite. Como Jesus deve ter ficado maravilhado com aquelas palavras!

> *Quando aquela mãe se rende aos pés de Jesus, humilhando-se ainda mais diante dele e aceitando as migalhas, gosto de pensar que o coração do Mestre ferveu diante da fé daquela mulher e do amor dela por sua filha.*

Como teria sido nossa fé se estivéssemos no lugar dessa mulher? De modo prático, qual é a nossa atitude, hoje, quando o silêncio do Senhor é angustiante? E quando ele diz *não*? Qual a dimensão da nossa fé? Precisamos urgentemente refletir sobre isso diante do relato da atitude daquela mulher cananeia.

As mães que fazem parte do movimento Desperta Débora vivem de joelhos na luta por seus filhos, clamando por eles no contexto de um mundo tão indiferente e cruel. No mundo em que vivemos, os ensinamentos de Satanás são muito valorizados; por isso, ele jaz no maligno. Lamentavelmente, é nessa esfera repleta de princípios malignos que nossos filhos habitam. Como ter forças diante dos medos, das incertezas, das pressões, dos ataques inflamados do adversário contra nossa vida e a de nossos filhos? Como defender nossa família, alvo fácil dos ataques do diabo, e perseverar, sem desistir de lutar? A resposta bíblica é: *pela fé!* A fé traz ao coração esperança, certeza e confiança, mesmo quando não estamos vendo nada de concreto à frente.

> A fé mostra a realidade daquilo que esperamos; ela nos dá convicção de coisas que não vemos. [...] Pela fé, Abraão, ao ser posto à prova, ofereceu Isaque como sacrifício. Abraão, que havia recebido as promessas, estava disposto a sacrificar seu único filho, embora Deus lhe tivesse dito: "Isaque é o filho de quem depende sua descendência". Concluiu que, se Isaque morresse, Deus tinha poder para trazê-lo de volta à vida. E, em certo sentido, recebeu seu filho de volta dos mortos. Pela fé, Isaque prometeu bênçãos para o futuro de seus filhos, Jacó e Esaú [...] Quanto mais preciso dizer? Levaria muito tempo para falar sobre a fé que Gideão, Baraque, Sansão, Jefté, Davi, Samuel e os profetas tiveram. Pela fé, eles conquistaram reinos, governaram com justiça e receberam promessas. Fecharam a boca de leões, apagaram chamas de fogo e escaparam de morrer pela espada. Sua fraqueza foi transformada em força. Tornaram-se poderosos na batalha e fizeram fugir exércitos inteiros. Mulheres receberam de volta seus queridos que haviam morrido.
>
> Outros, porém, foram torturados, recusando-se a ser libertos, e depositaram sua esperança na ressurreição para uma vida melhor. Alguns foram alvo de zombaria e açoites, e outros, acorrentados em prisões. Alguns morreram apedrejados, outros foram serrados ao meio, e outros ainda, mortos à espada. Alguns andavam vestidos com peles de ovelhas e cabras, necessitados, afligidos e maltratados.

> Este mundo não era digno deles. Vagaram por desertos e montes, escondendo-se em cavernas e buracos na terra.
>
> Todos eles obtiveram aprovação por causa de sua fé; no entanto, nenhum deles recebeu tudo que havia sido prometido.
>
> Hebreus 11.1,17-20,32-39

Como se pode ver, muitas pessoas, sejam personagens bíblicos ou anônimos, são apresentadas nessa lista de Hebreus 11. Muitos desses chamados "heróis da fé" foram mantidos no anonimato. Como disse o pastor Beto Queiroz em um congresso do Desperta Débora: "Os nomes das pessoas das quais o mundo não era digno não são citados em Hebreus, mas sim suas dores, lutas e tribulações. São registrados os momentos em que elas precisaram pôr a fé em prática e dobrar os joelhos e crer... o momento em que elas precisaram orar".

Tudo conspirava contra a mulher cananeia, de sua nacionalidade às circunstâncias em que abordou o Mestre. Mas ela tinha o maior e mais importante trunfo em seu apelo a Cristo: fé. E foi sua fé a chave que abriu a porta para o recebimento da bênção. "'Mulher, sua fé é grande', disse-lhes Jesus. 'Seu pedido será atendido.' E, no mesmo instante, a filha dela foi curada" (Mt 15.28). Essas foram as últimas palavras que Jesus lhe dirigiu, e com elas veio a grande resposta ao clamor daquela mulher rendida aos seus pés.

Creio que, pensando nisso, Charles Spurgeon disse em seu sermão a respeito dessa mulher cananeia uma palavra para os pais:

> Quando rogar a Deus por seus filhos, faça-o conforme seu grande amor materno ou paterno lhe sugerir, até que o Senhor também lhe diga: *Grande é a tua fé! O demônio já saiu! Seja-te feito como queres.* Deixo este último pensamento com os pais como encorajamento à oração. O Senhor nos leve a fazer assim, em nome de Jesus.[5]

O que você precisa fazer para viver essa vida em fé? Tão somente render-se aos pés de Jesus.

Para reflexão

1. Com base no exemplo da mulher cananeia, reflita se você se considera uma pessoa de fé. Por quê?

2. O que você pode fazer para aumentar sua fé?

3. Quais passagens da Bíblia podem ser úteis nesse processo?

4. Escreva a sua oração.

____

____

____

____

____

____

6

Mulheres rendidas aos pés de Jesus em perdão

Jesus voltou ao monte das Oliveiras, mas na manhã seguinte, bem cedo, estava outra vez no templo. Logo se reuniu uma multidão, e ele se sentou e a ensinou. Então os mestres da lei e os fariseus lhe trouxeram uma mulher pega em adultério e a colocaram diante da multidão. "Mestre, esta mulher foi pega no ato de adultério", disseram eles a Jesus. "A lei de Moisés ordena que ela seja apedrejada. O que o senhor diz?"

Procuravam apanhá-lo numa armadilha, ao fazê-lo dizer algo que pudessem usar contra ele. Jesus, porém, apenas se inclinou e começou a escrever com o dedo na terra. Eles continuaram a exigir uma resposta, de modo que ele se levantou e disse: "Aquele de vocês que nunca pecou atire a primeira pedra". Então inclinou-se novamente e voltou a escrever na terra.

Quando ouviram isso, foram saindo, um de cada vez, começando pelos mais velhos, até que só restaram Jesus e a mulher no meio da multidão. Então Jesus se levantou de novo e disse à mulher: "Onde estão seus acusadores? Nenhum deles a condenou?".

"Não, Senhor", respondeu ela.

E Jesus disse: "Eu também não a condeno. Vá e não peque mais".

João 8.1-11

O evangelho de João relata um episódio dos mais significativos do ministério terreno de Jesus. Ele estava no templo de Jerusalém, onde uma multidão se reuniu para ouvi-lo ensinar. Foi quando os mestres da lei e os fariseus trouxeram uma mulher pega em adultério e a colocaram diante da multidão. "'Mestre, esta mulher foi pega no ato de adultério', disseram eles a Jesus. 'A lei de Moisés ordena que ela seja apedrejada. O que o senhor diz?'" (Jo 8.4-5).

O questionamento daqueles religiosos era, na realidade, uma cilada. O adultério era crime passível de morte por apedrejamento, de acordo com a Lei mosaica. Se Jesus se posicionasse contra a morte da moça, poderiam acusá-lo de estar se opondo à Lei seguida pelos judeus. E agora, o que Jesus diria? Ele estava na berlinda e, se dissesse algo que pudessem usar contra ele, o povo não acreditaria mais no que ele ensinava.

No dia anterior, o Mestre havia pregado no templo e provocado polêmica por causa da verdade que pregava. Era tempo da Festa dos Tabernáculos, uma das celebrações judaicas. Jesus, que a princípio havia chegado escondido por causa da ameaça dos líderes religiosos contra sua vida, depois ensinou abertamente no templo, em alto e bom som, para quem o quisesse ouvir. Furiosos, os líderes religiosos israelitas lhe prepararam uma cilada.

A mulher apanhada em adultério serviu maravilhosamente bem aos propósitos maquiavélicos daqueles homens. Trazê-la e colocá-la em frente a Jesus, diante de todos os que estavam no templo de Jerusalém, sinalizou claramente a má intenção deles em relação àquele a quem desejavam condenar. Eles tinham visto ou sabido o suficiente para, em seu entendimento, quererem acabar com o "falso Messias". Jesus perdoava pecados, o que eles consideravam blasfêmia (Mc 2.5-7); curava no sábado e os deixava indignados, pois eles consideravam essa atitude uma afronta à Lei de Moisés (Jo 7.23); fazia refeições com os cobradores de impostos e pecadores, e isso fazia que eles o julgassem duramente (Mt 9.11). Havia, ainda, o fato de Jesus repreendê-los com severidade:

> Que aflição os espera, mestres da lei e fariseus! Hipócritas! Têm o cuidado de dar o dízimo da hortelã, do endro e do cominho, mas negligenciam os aspectos mais importantes da lei: justiça, misericórdia e fé. Sim, vocês deviam fazer essas coisas, mas sem descuidar das mais importantes.
>
> Mateus 23.23

Aqueles religiosos queriam que Jesus perdoasse a mulher flagrada em adultério, pois acreditavam que, assim, ficaria provado que ele estava pregando contra a Lei judaica, o que lhes daria motivo para acabar com sua trajetória ministerial — quiçá com sua vida. O Sinédrio, o mais alto tribunal judaico, tinha a tarefa de administrar a justiça, interpretando e aplicando a Lei de Moisés. Caso aqueles homens conseguissem algo de que acusá-lo, seria fácil levá-lo perante o Sinédrio, para que fosse julgado e punido.

Naquela cultura, a mulher deveria se dedicar exclusivamente ao marido e aos filhos, às tarefas da casa, à prática da boa hospitalidade. Ela era considerada incapaz de se ocupar com tarefas importantes. Tais como objetos, as mulheres pertenciam ao marido e aos filhos. Sob a ótica da cultura patriarcal daquela época, uma mulher honrada deveria dedicar-se apenas a cuidar do lar e da família. Subjugada e subestimada, por muito pouco uma mulher poderia ser repudiada. Nesse contexto tão duro para uma mulher, ser pega em adultério era sentença de morte por apedrejamento.

> *Sob a ótica da cultura patriarcal daquela época, uma mulher honrada deveria dedicar-se apenas a cuidar do lar e da família. Subjugada e subestimada, por muito pouco uma mulher poderia ser repudiada. Nesse contexto tão duro para uma mulher, ser pega em adultério era sentença de morte por apedrejamento.*

Diante daquela mulher, da população local, dos mestres da lei e dos fariseus, Jesus sabia muito bem quais eram as penalidades aplicadas pela lei judaica ao réu de adultério. Ele compreendia exatamente o que estava sendo armado contra si e preparava-se para virar a mesa, a fim de ensinar uma preciosa lição sobre perdão.

Em nossos dias, nos quais as pessoas são implacáveis em seus julgamentos, a ideia do perdão de Deus traz o refrigério, a esperança de uma segunda chance e a possibilidade de um recomeço. Com o perdão sempre se pode recomeçar. A misericórdia e o amor de Deus são confrontados com a Lei, com os ensinamentos do coração duro do homem que não vê além do que sua justiça humana lhe mostra. No coração de Deus existe a tão maravilhosa graça, que leva ao perdão.

O adultério

O adultério era considerado pela Lei mosaica uma falta gravíssima. O homem e a mulher que fossem apanhados em adultério seriam executados por apedrejamento: "Se um homem cometer adultério com a mulher do seu próximo, o homem e a mulher que cometeram adultério serão executados" (Lv 20.10).

A situação daquela mulher adúltera era ainda pior, porque ela era o instrumento, o meio, pelo qual os fariseus e os mestres da lei queriam apanhar Jesus e levá-lo perante o Sinédrio. Eles não estavam preocupados em fazer justiça nem com o cumprimento da Lei, e a prova disso é que não levaram o homem que se deitara com aquela mulher para também ser julgado e punido. Se havia adultério, havia dois culpados a julgar. Mas onde estava o homem? Por que não o levaram? Porque, na realidade, eles queriam mesmo era apanhar Jesus, prendê-lo, condená-lo e executá-lo. Jesus já havia incomodado demais! Para eles, a hora de dar um basta naquilo havia chegado. Sharon Jaynes escreveu em seu livro *Jesus e as mulheres*:

> Apesar de não sabermos se aquela mulher era mais uma na vida daquele homem, não foi a primeira vez, nem será a última que uma mulher foi responsabilizada sozinha pelas consequências do pecado sexual. Jesus não mencionou esse detalhe, muito provavelmente por saber que o real propósito dos judeus não era o de buscar justiça. Eles não poderiam estar menos preocupados com a questão da imoralidade ali presente. Se estivessem realmente interessados em guardar a lei moral de Moisés, tanto a mulher quanto o homem deveriam estar diante deles. A única preocupação dos fariseus era montar uma armadilha para Jesus.[1]

A sede daqueles homens importantes em acabar com Jesus era enorme. Eles não mediriam esforços para isso, e apanhar uma mulher em adultério, infringindo a Lei, justamente quando Jesus estava no templo ensinando com uma multidão ao redor, era perfeito demais. Eles torciam para que, mais uma vez, Jesus exercesse sua "falsa autoridade" e a perdoasse, que a livrasse de ser executada, indo contra as determinações da Lei de Moisés.

Quem pode imaginar o horror daquela mulher? Nós, ocidentais, não podemos nem chegar perto de imaginar o que se passava pelo coração dela. Nos países do Ocidente, não existe punição legal para o adultério. No Brasil, o adultério já foi considerado crime, no artigo 240 do Código Penal, tendo sido revogado em 2005 pela Lei 11.106. Somente em algumas partes do mundo, geralmente em países islâmicos, ainda se disciplina o adultério com a pena capital. À luz da Bíblia, o adultério é pecado, mas não há espaço na Nova Aliança para que seja punido com a morte.

Sempre que eu ia a determinada cidade, chamava-me a atenção uma certa mulher. Ela era bonita, se vestia muito bem, apresentava-se de modo discreto, mas tinha um ar estranho, desconfiado, e nunca olhava nos olhos das pessoas. Numa dessas viagens, tive a oportunidade de ficar a sós com ela. Em determinado momento, ela perguntou se eu sabia ouvir uma pessoa sem julgá-la e condená-la. Eu respondi-lhe que eu não era ninguém para julgar outra pessoa.

Minha resposta a acalmou e, ali, ela abriu o coração. Contou-me que estava adulterando e isso a estava matando. Tudo havia começado com elogios da parte do amante, que cada vez mais a foram agradando. Depois, vieram as comparações com o esposo, com aquele pensamento diabólico de que a grama do vizinho é sempre mais verde. A partir daí, pular para o outro lado foi mais fácil do que ela pensava. Quando a encontrei, o relacionamento já durava alguns meses e o remorso e a culpa a estavam destruindo.

Conforme ela falava, compreendi a razão de seu ar desconfiado, de não olhar as pessoas nos olhos. Era medo, culpa, remorso. Era a dor do pecado. Que situação! Enquanto a ouvia, eu pedia a Deus que me desse palavras sábias e amorosas para lhe dizer quando ela parasse de falar. Aquela mulher terminou chorando muito, uma sombra pálida daquela senhora bonita e arrumada que sempre chamava a minha atenção. Eu a abracei e disse: "Mesmo assim, Jesus a ama e pode consertar a sua vida se você quiser. Você quer?". Soluçando muito, ela disse: "Eu quero, mas será que o amor dele por mim ainda é tão grande assim a ponto de perdoar toda essa sujeira e me ajudar?". Eu sabia que era e disse-lhe isso.

Daquele momento em diante, o recomeço não foi fácil, como sabíamos que não seria. Ela terminou o relacionamento, confessou tudo ao esposo, que a perdoou, consertou-se com sua liderança eclesiástica, sentou quietinha no banco da igreja para Jesus tratá-la e começar o caminho da sua restauração. Hoje, quando a encontro, vejo uma mulher em paz, feliz, com uma família saudável. Ela só está em paz porque foi perdoada e tratada pelo Senhor.

Infelizmente, histórias como a dessa mulher existem aos milhares. E nem todas terminam em paz e restauração. Muitas pessoas não conhecem aquele que veio para salvar, curar e libertar. Se o pecado faz adoecer a alma, o perdão liberta:

> Como é feliz aquele cuja desobediência é perdoada, cujo pecado é coberto! Sim, como é feliz aquele cuja culpa o Senhor não leva em conta, cuja consciência é sempre sincera! Enquanto me recusei a confessar meu pecado, meu corpo definhou, e eu gemia o dia inteiro. Dia e noite, tua mão pesava sobre mim; minha força evaporou como água no calor do verão. Finalmente, confessei a ti todos os meus pecados e não escondi mais a minha culpa. Disse comigo: "Confessarei ao Senhor a minha rebeldia", e tu perdoaste toda a minha culpa.
>
> Salmos 32.1-5

Sim, o perdão de Deus apaga todos os pecados. Para ele, o que importa é se o pecador tem consciência dos seus pecados, se está sinceramente arrependido deles e se tem a intenção de não cometê-los mais. Deus proibiu de forma enfática o adultério, a ponto de tê-lo incluído nos Dez Mandamentos (Êx 20.14).

No Sermão do Monte, Jesus fala de forma incisiva sobre o adultério: "Vocês ouviram o que foi dito: 'Não cometa adultério'. Eu, porém, lhes digo que quem olhar para uma mulher com cobiça já cometeu adultério com ela em seu coração" (Mt 5.27-28). E prosseguiu: "Se o olho direito o leva a pecar, arranque-o e jogue-o fora. É melhor perder uma parte do corpo que ser todo ele lançado no inferno. E, se a mão direita o leva a pecar, corte-a e jogue-a fora. É melhor perder uma parte do corpo que ser todo ele lançado no inferno" (Mt 5.29-30).

Depois de pregar um sermão que incluía considerações tão fortes, como Jesus poderia perdoar a mulher adúltera? Como ele poderia absolvê-la da condenação pela Lei de Moisés? Os mestres da lei e os fariseus acreditavam que ele não poderia perdoar tão grande pecado.

O perdão

Os religiosos chegaram a Jesus, expuseram o caso daquela mulher e exigiram dele uma resposta. Por isso, o Mestre se levantou e disse: "Aquele de vocês que nunca pecou atire a primeira pedra" (Jo 8.7). Com essas sábias palavras, Cristo confrontou aqueles homens e desnudou-os diante de seus pecados. Com toda a certeza, eles sabiam que tinham pecado, "Pois todos pecaram e não alcançam o padrão da glória de Deus" (Rm 3.23).

Jesus sabia que tudo aquilo era uma armadilha para apanhá-lo. Portanto, ele precisava ser claro, firme e objetivo. E todos tinham de escutar o que ele diria: os hipócritas, os que estavam ali para ouvir seus ensinamentos e a mulher que estava sendo julgada. E o que ele disse foi uma aula sobre perdão.

O que significa perdão? Em termos humanos, perdão é a ação de livrar alguém de uma culpa, uma ofensa, uma dívida mediante a anulação de qualquer necessidade de pagar o que devia. O perdão é um processo e visa à eliminação de qualquer ressentimento, raiva, rancor ou outro sentimento negativo sobre determinada pessoa ou sobre si mesmo. O perdão liberta tanto o ofendido quanto o ofensor; restaura e dá a chance de um recomeço. Perdão é atitude. A palavra grega que na Bíblia foi traduzida por "perdão" quer dizer "abrir mão", "deixar ir embora".

> *Em termos humanos, perdão é a ação de livrar alguém de uma culpa, uma ofensa, uma dívida mediante a anulação de qualquer necessidade de pagar o que devia. O perdão é um processo e visa à eliminação de qualquer ressentimento, raiva, rancor ou outro sentimento negativo sobre determinada pessoa ou sobre si mesmo.*

Podemos comparar o ato do perdão a alguém que tem uma dívida a receber de outra pessoa, mas abre mão disso. É libertar, soltar, deixar ir embora. Certa vez, minha filha mais nova ensinava minhas netas sobre questões da Bíblia. Elas falavam sobre o rei Davi e até assistiram a alguns trechos de um filme sobre a sua vida. Ao tratar do fato de Davi ter cometido muitos pecados e, mesmo assim, ser chamado de "homem segundo o coração de Deus", minha filha falou sobre o perdão de Deus e disse que Jesus também perdoava os pecadores. Para exemplificar, ela mencionou o caso da mulher adúltera. Minhas netas ouviram atentamente.

Passados alguns dias, a mais velha das duas, Gabriela, de 8 anos, puxou conversa com a mãe sobre o assunto do perdão dos pecados, da confissão e do arrependimento. Ela disse que precisava confessar à mãe um pecado. Minha filha olhou com surpresa, e a menina relatou que havia mentido algumas vezes sobre estar com náuseas e dor na barriga para não ir à escola. A mãe respondeu que ela já havia falado sobre aquilo e pedido perdão, ao que a menina respondeu: "Mas não em todas as vezes, faltaram algumas. E, mãe, lembrei daquela mulher que Jesus perdoou. Só ele poderia ter uma ideia dessa do perdão, só ele". Bem que Jesus disse que da boca dos pequeninos sai o perfeito louvor e, em sua inocência, muitas vezes eles percebem mais do que nós, os adultos.

O escritor David Augsburger escreveu no livro *Livre para perdoar*:

> O homem que recebe o perdão de Deus está sendo perdoado por outros. Se isso é verdade — Jesus o afirmou — então perdoar e ser perdoado constituem a questão crucial, central e eterna de cada vida. E aquele que se recusa a perdoar não será perdoado, porque se afastou do amor e da misericórdia. Mas aquele que perdoa abre sua vida à graça libertadora do perdão do Senhor. Para que Deus nos perdoe os deslizes

> diários (e quão desesperadamente cada um de nós necessita do seu perdão), precisamos perdoar, aceitar e amar. Impossível? Talvez o seja para aquele que nada sabe acerca do perdão de Deus na sua vida e da liberdade daí proveniente. Mas não para aquele que é perdoado. O perdão de Deus confere ao homem a liberdade de amar e viver de forma criadora, porque ele mesmo se fez nova criatura, segundo a Bíblia.[2]

No livro *Jesus pela ótica do Oriente Médio*, Kenneth E. Bailey escreve:

> A respeito desse Servo Sofredor, Isaías escreveu: "Não quebrará a cana esmagada, nem apagará o pavio que esfumaça; trará a justiça com fidelidade" (Is 42.3). Os fariseus queriam a aplicação rigorosa da Lei. Jesus lutava pela compaixão, pela cana esmagada e o pavio quase se apagando que ele via na mulher diante dele. Todos procuram "justiça". Nesse caso, o que devia prevalecer? Jesus fez a sua escolha e a põe em prática.[3]

A história da mulher adúltera é comentada até os dias de hoje. O ensinamento de Jesus sobre perdão deu a todos os envolvidos a chance de repensar suas atitudes, olhar para dentro de si e se arrepender dos pecados. "Quando ouviram isso, foram saindo, um de cada vez, começando pelos mais velhos, até que só restaram Jesus e a mulher no meio da multidão" (Jo 8.9). A mulher foi perdoada com a firme recomendação de não pecar mais: "Então Jesus se levantou de novo e disse à mulher: 'Onde estão seus acusadores? Nenhum deles a condenou?'. 'Não, Senhor', respondeu ela. E Jesus disse: 'Eu também não a condeno. Vá e não peque mais'" (Jo 8.10-11).

> *A história da mulher adúltera é comentada até os dias de hoje. O ensinamento de Jesus sobre perdão deu a todos os envolvidos a chance de repensar suas atitudes, olhar para dentro de si e se arrepender dos pecados.*

Jesus simplesmente não podia perder a oportunidade de ensinar a todos sobre o perdão. Ele escapou da armadilha que lhe tinham preparado, ensinou sobre o perdão na prática e confrontou aqueles homens com os pecados deles. Por fim, perdoou a mulher adúltera. Um ensinamento maravilhoso!

Augsburger afirma que só o perdão pode interromper nossa órbita sem fim em torno de nós mesmos e nos libertar. Ou, em termos bíblicos, "Livrem-se de toda amargura, raiva, ira, das palavras ásperas e da calúnia, e de todo tipo de maldade. Em vez disso, sejam bondosos e tenham compaixão uns dos outros, perdoando-se como Deus os perdoou em Cristo" (Ef 4.31-32).

Se deseja seguir os passos de Jesus, todo cristão precisa se abrir para perdoar: abrir o coração, a alma, a mente. O perdão muda primeiro quem perdoa e depois o perdoado. O ato do perdão faz o mundo passar a ter uma cor diferente, a cor da liberdade, da quebra das cadeias, das portas abertas para pastos verdejantes. E isso tem cor? Sim, a cor dos que descansam em Cristo, a cor da paz! Quem perdoa ou é perdoado sente-se absolutamente em paz!

O que você precisa fazer para viver essa vida de perdão? Tão somente render-se aos pés de Jesus.

Para reflexão

1. Você busca perdoar e ser perdoada sempre como primeira reação a uma ofensa. Por quê?

2. O que você pode fazer para intensificar a busca pelo perdão em sua vida?

3. Quais passagens da Bíblia podem ser úteis nesse processo?

4. Escreva a sua oração.

7

Mulheres rendidas aos pés de Jesus em coragem

> No meio da multidão estava uma mulher que havia doze anos sofria de hemorragia. Tinha passado por muitas dificuldades nas mãos de vários médicos e, ao longo dos anos, gastou tudo que possuía, sem melhorar. Na verdade, havia piorado. Tendo ouvido falar de Jesus, aproximou-se por trás dele no meio da multidão e tocou em seu manto.
>
> Marcos 5.25-27

Jesus sempre causa transformações naqueles que têm um contato verdadeiro com ele. Não um contato qualquer, superficial, mas um contato radical, de todo o coração, de toda a alma e de todo o entendimento. Por isso mesmo, Cristo interagiu com as mulheres de sua época como nenhuma outra pessoa. A Bíblia fala a respeito de uma mulher que adoeceu gravemente. Ela tinha posses e procurou todos os médicos e tratamentos possíveis para sua cura. Porém, nada funcionou. Ela gastou tudo o que tinha nessa busca, diz o texto bíblico.

Aquela mulher enferma queria chegar até Jesus, mas ele estava no meio de grande multidão. Seria difícil ir até ele. Mesmo assim, ela não se intimidou, pois acreditava que nele estava sua cura. Rompendo as barreiras humanas, ela simplesmente o tocou. Tenho vontade de ficar em pé e aplaudir a coragem dessa mulher! Ela não se importou com a sua cultura, nem ficou debatendo em meio a discussões vazias sobre o valor da mulher. Também não se preocupou se Jesus se escandalizaria com a atitude dela. Provavelmente, o que ela esperava era que ele nem mesmo percebesse seu toque.

Penso nos muitos enfermos pelos quais estamos em oração diante do Senhor. Alguns são membros da nossa família, e outros são amigos. Há, ainda, muitos pedidos de oração que nos chegam, no meu caso, por meio do *website* do Desperta Débora e das páginas do movimento nas redes sociais. Assim como a mulher da Bíblia, os nossos enfermos, hoje, precisam da intervenção do Médico dos médicos.

Não existe um período de tempo determinado para Jesus operar. Ele é aquele que estava com a mulher que sofria de hemorragia e é quem nos ouve clamar por nossos enfermos. É isto que a Bíblia quer nos dizer para nos animar e encher o nosso coração de esperança: Jesus está vivo e para sempre operando em resposta ao clamor dos seus.

> *Jesus está vivo e para sempre operando em resposta ao clamor dos seus.*

Dois evangelistas contaram a história da mulher que interrompeu a caminhada de Jesus: Marcos e Lucas. À primeira vista, podemos até interpretá-la como uma mulher que não conhecia Jesus de verdade, já que chegou por trás, misturada à multidão, sem coragem de olhar para ele de frente e pedir o que necessitava. Mas, à medida que compreendemos o contexto, sabemos que não havia outro jeito de ela se aproximar dele; não era falta de fé, mas vergonha da sua situação e receio do rigor da lei, uma vez que as normas do judaísmo a consideravam impura, por estar com um fluxo constante de sangue.

> Se uma mulher tiver por muitos dias um fluxo de sangue que não seja sua menstruação normal, ou se ela continuar a sangrar depois da menstruação normal, ficará cerimonialmente impura. Enquanto durar o sangramento, a mulher ficará impura, como acontece durante a menstruação. Qualquer cama onde ela se deitar e qualquer objeto sobre o qual ela se sentar durante esse período ficará impuro, como em sua menstruação normal. Se alguém tocar nessas coisas ficará cerimonialmente impuro. Terá de lavar as roupas e banhar-se com água, e ficará impuro até o entardecer. Quando o sangramento da mulher parar, ela contará sete dias e depois estará cerimonialmente pura.
>
> Levítico 15.25-28

Também observamos que nem na sua história ela é a personagem principal, visto que o relato de sua experiência surge como um apêndice na história de Jairo, um dos líderes da sinagoga, que buscava desesperadamente levar

Jesus até sua casa, porque sua filhinha estava gravemente enferma. Até isso dificultava as pretensões daquela mulher, uma vez que a multidão não estava prestando atenção ao seu problema: o foco das pessoas naquele momento era a angustiante situação da filha de Jairo, que estava morrendo.

Aquela mulher precisava ter muita coragem para sair de casa e se misturar à multidão. Expor-se publicamente, quando havia tabus e regras em relação a assuntos que envolviam a natureza de sua condição de saúde, demandava muita coragem! Creio que ela misturou-se à multidão, na esperança de que ninguém a visse e ela pudesse tocar naquele que, sabia pela fé, poderia curá-la. Quanto mais gente estivesse presente, melhor, porque seriam maiores as chances de ela passar despercebida.

Impureza

Imagine o que aquela mulher deve ter sofrido em todos aqueles doze anos, sem saber mais o que fazer. Imagine a solidão e a tristeza do seu coração, privada que ela era de ter uma vida como qualquer outra mulher. Afastada pela Lei do convívio social, ninguém podia tocá-la. Ela se achava pobre, enferma, sem esperança. Para seu desespero, sua situação só piorava.

E assim ela viveu, até que vislumbrou, com o barulho da multidão, uma luz de esperança. Ela tinha ouvido falar de Jesus, de suas curas e milagres, sabia que ele expulsava espíritos malignos e perdoava pecados. Muitos diziam que ele era o Messias, o poderoso Filho de Deus! Às vezes me pego pensando que aquela mulher deveria estar numa angústia tremenda quando ouviu que aquele mesmo Jesus passaria por onde ela vivia. No entanto, a multidão havia se juntado em torno dele, como sempre acontecia. E agora, o que fazer? Deveria ir até ele? E a sua situação de impureza? E a vergonha? Eram anos de isolamento, de busca solitária pela cura. No entanto, se havia uma chance de cura, ela estava em Jesus, e era ele que passava junto com a multidão. O que fazer?

Cheia de coragem, ela decidiu ir atrás, buscar sua cura.

Por alguns anos sofri de um problema assim. Eu tinha miomas no útero e morria de medo de me submeter a uma cirurgia para retirá-los. O problema é que me incomodavam enormemente. A situação chegou a tal ponto que quase não havia dias no mês sem que o fluxo estivesse presente — e cada vez com mais intensidade. Covarde, eu adiava sempre a cirurgia, pois morria de medo de me submeter a uma intervenção médica.

> *Eu tinha miomas no útero e morria de medo de me submeter a uma cirurgia para retirá-los. O problema é que me incomodavam enormemente. [...] Covarde, eu adiava sempre a cirurgia, pois morria de medo de me submeter a uma intervenção médica.*

Adiei por tantos anos que, quando decidi fazer, precisei retirar não só os miomas, mas realizar uma histerectomia total, isto é, a remoção cirúrgica do útero, das trompas e dos ovários. A minha falta de coragem e confiança no Senhor me levou a piorar uma situação que no início poderia ter sido bem mais simples. Depois me resolvi com Jesus por causa disso, mas foi muito feia a minha falta de coragem e fé.

Não me esqueço de tudo o que passei durante o tempo em que vivi com esse problema. Foi horrível. Enfrentei muitas situações constrangedoras. Imagine, eu conhecia o Médico dos médicos, sabia que ele tinha todo poder para me curar, inclusive por meio da medicina, e tudo o que impedia a cura era uma enorme falta de coragem para buscar a solução do problema. Estava ali, ao meu alcance, e eu parada, sempre arranjando uma desculpa para não resolver o problema. O medo tolhia as minhas ações e eu me acomodava.

Que diferença daquela mulher da Bíblia. Eu me encolhi, medrosa, covarde. Ela não. Embora tenha se aproximado de Jesus timidamente e por trás, foi corajosa o suficiente, foi decidida; eu não. Charles Spurgeon escreveu:

> Ela decidira não morrer e, sim, ver se poderia ser curada. Fica evidente, portanto, ser uma mulher de grande determinação e esperança. Sabia que, se deixasse, aquela doença poderia fazer a sua vida se esvair e até levá-la à sepultura; mas disse consigo mesma: Vou lutar. Se existe uma possibilidade de remover este flagelo, ele será removido, nem que me custe o que for, de despesa ou de dor.[1]

A mulher havia tentado de tudo. E aquela poderia ser a última chance de cura, numa situação que tinha tudo para dar errado, em razão da multidão de pessoas em redor de Jesus que poderiam reconhecê-la como a mulher impura aos olhos da Lei mosaica. E se a reconhecessem? Seria um tumulto daqueles. Ela era pobre e sozinha. Diante dessa situação, vem uma pergunta à minha mente: o que Deus faz quando não sabemos o que fazer?

Adoentada e fraca, ela não sabia mais o que fazer, não tinha mais a quem buscar, não possuía mais dinheiro nem bens que a ajudassem a continuar na busca pela cura. Não, ela não sabia mesmo o que fazer. Então, em uma situação extrema como aquela, quando não há mais nada à frente, quando a dor da desesperança esmurra o peito e as cores que dão alegria e graça à vida desaparecem, o que Deus faz?

Deus chega. Jesus passa. O Espírito Santo se revela! Aleluia!

O toque e a cura

Muitas e muitas vezes nós empacamos diante dos problemas sem saber como lutar nem a quem recorrer. É comum que as tentativas de resolver as situações difíceis da vida sejam tantas que o desânimo toma conta e entregamos os pontos. Por isso, se desejamos buscar soluções para os problemas, é preciso sair da zona de conforto. Acomodar-se não é opção para quem precisa de ajuda. Podemos nos sentir sozinhas no meio de uma multidão, mas isso não é, de maneira nenhuma, razão para desistir. Precisamos ter coragem de encontrar respostas em Jesus. Quando não sabemos mais o que fazer, ele sabe; quando estamos perdidas, sem encontrar a solução, ele é o caminho. Só precisamos ter coragem para buscá-lo, render-nos ao seu poder e ao seu grande amor.

Deus tem prazer em socorrer os seus, aqueles que o buscam em orações e atitudes. Provérbios 15.8 diz: "Os sacrifícios dos perversos são detestáveis para o Senhor, mas ele tem prazer nas orações dos justos". Sim, o Senhor tem prazer em ouvir os pedidos que chegam a ele, em saber que o procuram nas preces silenciosas de agonia, nos gritos de celebração dos agradecimentos ou mesmo no meio de multidões. Deus disse por meio do profeta Isaías: "Eu os atenderei antes mesmo de clamarem a mim; enquanto ainda estiverem falando de suas necessidades, responderei a suas orações!" (Is 65.24). Essa certeza nos leva à esperança de que, aconteça o que acontecer, ele está lá, presente em toda e qualquer situação.

> *Sim, o Senhor tem prazer em ouvir os pedidos que chegam a ele, em saber que o procuram nas preces silenciosas de agonia, nos gritos de celebração dos agradecimentos ou mesmo no meio de multidões.*

Eu deveria ter me lembrado disso com mais fé para não demorar tanto a buscar a minha cura. A experiência me mostra que deveríamos nos lembrar disso todos os dias e com confiança inabalável. Precisamos ser pacientes nas dificuldades e não parar de orar: "Alegrem-se em nossa esperança. Sejam pacientes nas dificuldades e não parem de orar" (Rm 12.12).

Penso que a razão de existir tantas pessoas tristes, abatidas, sem esperança e amargas é porque elas não têm ideia do que Deus é capaz de fazer. Não entendem o triunfo da cruz, que foi uma vitória contra as forças do mal. Falta a compreensão de que levar o próprio filho ao sacrifício é a maior prova de amor que alguém poderia dar, por meio do sangue divino e humano derramado em favor de todo aquele que crê nele, a fim de obter a vida eterna: "A mensagem da cruz é loucura para os que se encaminham para a destruição, mas para nós que estamos sendo salvos ela é o poder de Deus" (1Co 1.18). É só darmos o passo na direção certa, rumo aos pés de Jesus, rendendo-nos a ele.

A vida daquela mulher nos transmite importantes ensinamentos. Primeiro, aprendemos com ela que é necessário buscar soluções para nossos problemas, sabendo que alguns vamos resolver — porque Deus nos deu capacidade, inteligência e talento para fazê-lo — e outros não estarão dentro da nossa capacidade de solução.

> Confiar incondicionalmente em Deus e agir com base nessa confiança talvez seja uma das atitudes mais difíceis para um cristão. É um aprendizado passo a passo, que não se consegue de repente, com um conhecimento superficial ou distante de quem seja Deus. Confiar plenamente nele exige intimidade, aproximação, conhecimento de quem é Deus e de seus atributos.[2]

Segundo, aprendemos que precisamos saber exatamente o tempo de tirar as nossas mãos da situação e deixar o Senhor agir. Quantas vezes lutei diante da dúvida sobre se deveria continuar ou me render ao agir de Deus! Quantas vezes vi pessoas nessa luta, algumas com as últimas forças se esvaindo, sem reconhecer que seu limite chegou! Somos impulsionadas pela filosofia do mundo, segundo a qual "querer é poder", e por isso sentimos a necessidade de fazer tudo por nossas próprias forças e pelo nosso próprio entendimento. Mas que forças? Que entendimento? Felizes são os que conseguem entender a tempo que a mão de Deus é eficiente! "Mas os que confiam no Senhor renovam suas forças; voam alto, como águias. Correm e não se cansam, caminham e não desfalecem" (Is 40.31).

Terceiro, a experiência daquela mulher nos ensina que viver no meio da multidão, sem que ninguém repare em nós, não deve ser motivo para desanimarmos nem desistirmos. As forças do mal conspiram para nos abater e nos afastar de perto do Senhor. A multidão grita alto, e o barulho muitas vezes abafa aquela voz doce e suave que vem para nos socorrer, mas nossos olhos e ouvidos espirituais precisam estar apurados. Jesus está no meio da multidão? Vamos atrás, vamos buscá-lo! "'Naqueles dias, quando vocês clamarem por mim em oração, eu os ouvirei. Se me buscarem de todo o coração, me encontrarão. Serei encontrado por vocês', diz o Senhor" (Jr 29.12-14).

> *As forças do mal conspiram para nos abater e nos afastar de perto do Senhor. A multidão grita alto, e o barulho muitas vezes abafa aquela voz doce e suave que vem para nos socorrer, mas nossos olhos e ouvidos espirituais precisam estar apurados. Jesus está no meio da multidão? Vamos atrás, vamos buscá-lo!*

A história daquela mulher também nos ensina o que Deus faz quando chegamos ao fim da linha, quando não sabemos mais o que fazer. Primeiro, que o Senhor é uma fonte transbordante de poder que nunca acaba. Ele tinha bênçãos extraordinárias para a filha de Jairo, para a mulher com hemorragia e para a multidão, assim como hoje tem para mim e você. O poder de Deus é incomparável e inesgotável! O Senhor pode transformar num segundo aquilo que eu e você não podemos transformar ao longo de uma vida inteira. Quando experimentamos o poder de Deus, tudo se torna diferente. Se você clamar, poderá ver o poder de Deus na sua vida, seja qual for a sua situação!

Segundo, aprendemos que Deus sempre age em favor de quem tem fé e que sempre oferece o melhor, mesmo quando não entendemos o que está acontecendo. Jesus falou da fé e da semente de mostarda para que compreendêssemos que um pequeno sinal de fé já é o bastante para nos tirar da escuridão, um toque nas suas vestes já é suficiente para ele transbordar o seu poder. Ao saber que alguém o tocou, "O Senhor respondeu: 'Se tivessem fé, ainda que tão pequena quanto um grão de mostarda, poderiam dizer a esta amoreira: "Arranque-se e plante-se no mar", e ela lhes obedeceria'" (Lc 17.6). A fé corajosa é imprescindível na vida de quem deseja render-se aos pés de Jesus. "Sem fé é impossível agradar a Deus. Quem deseja se aproximar de Deus deve crer que ele existe e que recompensa aqueles que o buscam" (Hb 11.6). Mesmo que você não entenda nada do que está acontecendo, toque em Jesus pela fé!

Terceiro, aprendemos, ainda, que em momento algum Deus nos deixa sozinhas e, mesmo nos momentos extremos, ele está junto de nós. Deus nos vê e acompanha os nossos passos, guiando-nos por todo o caminho: "Nada, em toda a criação, está escondido de Deus. Tudo está descoberto e exposto diante de seus olhos, e é a ele que prestamos contas" (Hb 4.13).

Essas três lições são o que nos dá esperança: de Cristo transborda poder, ele sempre age em nosso favor e nada foge de seu controle. Aquela mulher corajosa veio por trás, escondida no meio de uma multidão apressada, mas bastou o seu toque com fé para que Jesus a sentisse e dele saísse o que ela precisava naquele momento.

Admirável essa história! Que fé tinha aquela mulher! Quando ela o tocou, Jesus sabia que aquele não era um toque qualquer entre a multidão apressada. Ele sentiu que aquele toque era especial, e na hora procurou quem o havia tocado. A pobre mulher pensava que tudo seria resolvido sem que ninguém percebesse, mas, inesperadamente, viu-se frente a frente com o próprio Jesus. Como eu gostaria de ter visto essa cena! A cara de horror da multidão quando aquela mulher, corajosa pelo gesto, mas temerosa pelas consequências de o Senhor ter percebido seu toque, identificou-se e rendeu-se aos pés de Jesus. "Jesus, porém, continuou a olhar ao redor para ver quem havia feito aquilo. Então a mulher, assustada e tremendo pelo que lhe tinha acontecido, veio e, ajoelhando-se diante dele, contou o que havia feito. Jesus lhe disse: 'Filha, sua fé a curou. Vá em paz. Seu sofrimento acabou'" (Mc 5.32-34).

> A palavra "curou" usada por Jesus é o vocábulo grego *sesoken*, que significa "salvou". Jesus fez mais que curar o corpo dela. Salvou a sua alma, eliminou sua vergonha e restabeleceu seu lugar na comunidade. Conforme ocorreu com essa mulher em particular e com as outras que conhecemos, Jesus viu as necessidades delas como portais que se abriam para demandas espirituais mais profundas para serem atendidas. Suas curas milagrosas quebraram as correntes aprisionadoras de mulheres que padeciam de doença física, emocional e espiritual, para conceder-lhes saúde física, emocional e espiritual. Ele cuidou de suas necessidades imediatas e deu-lhes uma perspectiva eterna e grande importância.[3]

Conosco não pode ser diferente. Precisamos que aconteça conosco o mesmo que houve com aquela mulher. Não importam as circunstâncias, o local, quem está ao redor ou mesmo o tipo de problema que temos. O que precisamos é identificar-nos com Jesus e ficar frente a frente com ele. E, ao fazer isso, seguir na paz do Senhor!

O que você precisa fazer para viver essa vida de coragem? Tão somente render-se aos pés de Jesus.

Para reflexão

1. Com base no exemplo da mulher com hemorragia, reflita se você se considera corajosa diante de Deus. Por quê?

2. O que você pode fazer para intensificar sua coragem?

3. Quais passagens da Bíblia podem ser úteis nesse processo?

4. Escreva a sua oração.

8

Mulheres rendidas aos pés de Jesus em reconciliação

Chegou ao povoado samaritano de Sicar, perto do campo que Jacó tinha dado a seu filho José. O poço de Jacó ficava ali, e Jesus, cansado da longa caminhada, sentou-se junto ao poço, por volta do meio-dia. Pouco depois, uma mulher samaritana veio tirar água, e Jesus lhe disse: "Por favor, dê-me um pouco de água para beber". Naquele momento, seus discípulos tinham ido ao povoado comprar comida.

A mulher ficou surpresa, pois os judeus se recusam a ter qualquer contato com os samaritanos. "Você é judeu, e eu sou uma mulher samaritana", disse ela a Jesus. "Como é que me pede água para beber?"

Jesus respondeu: "Se ao menos você soubesse que presente Deus tem para você e com quem está falando, você me pediria e eu lhe daria água viva".

"Mas você não tem corda nem balde, e o poço é muito fundo", disse ela. "De onde tiraria essa água viva? Além do mais, você se considera mais importante que nosso antepassado Jacó, que nos deu este poço? Como pode oferecer

> água melhor que esta que Jacó, seus filhos e seus animais bebiam?"
>
> Jesus respondeu: "Quem bebe desta água logo terá sede outra vez, mas quem bebe da água que eu dou nunca mais terá sede. Ela se torna uma fonte que brota dentro dele e lhe dá a vida eterna".
>
> João 4.5-14

Em uma de suas jornadas para pregar o evangelho do reino, Jesus passou por Samaria, mais especificamente pelo povoado de Sicar, perto do campo que Jacó tinha dado a seu filho José. Ali havia um poço e, como o Senhor estava cansado da longa caminhada, sentou-se ali, por volta do meio-dia. Pouco depois, uma mulher samaritana veio tirar água, e Jesus lhe pediu um pouco de água para beber. Surpresa, pois os judeus se recusavam a ter qualquer contato com os samaritanos, aquela mulher ficou intrigada por ele estar lhe pedindo água.

A samaritana foi mais uma mulher que teve um encontro transformador com Jesus. Os samaritanos eram considerados impuros pelos judeus, por isso os dois grupos não se davam bem. Como Jesus era judeu, falar com uma mulher, ainda por cima samaritana, era um escândalo.

Esse encontro aponta para a reconciliação do pecador perdido com o Deus criador, para a transformação interior pela mensagem de Jesus para, então, tornar-se uma testemunha para o mundo. Se Jesus quebrou paradigmas ao conversar com mulheres, tirar aquele tempo para falar sobre teologia com uma samaritana — e a sós — foi um ato revolucionário. Ele quebrou um enorme tabu social e cultural.

Um judeu que se dirigisse à Galileia costumava pegar um caminho mais longo apenas para não passar pelas terras dos samaritanos e, assim, evitar possíveis ataques ou atritos. Jesus, porém, decidiu deliberadamente ignorar toda hostilidade e as discórdias existentes havia séculos entre judeus e samaritanos e, em vez de dar a volta, como era hábito, passou direto pelas terras dos samaritanos. Talvez seus discípulos tenham tentado dissuadi-lo, mas Jesus não estava preocupado com isso. Seu foco era uma mulher que viria apanhar água.

A mulher samaritana

Jesus certamente estava muito cansado e sedento quando encontrou a samaritana, pois João registrou no texto bíblico que a caminhada havia sido longa. Ele e seus discípulos não tinham posses nem animais de montaria, por isso andavam a pé. As distâncias eram longas, e as viagens, cansativas. Jesus era humano e sentia cansaço e sede. Pela hora em que se deu essa passagem, meio-dia, imagine o calor que fazia. Debaixo de um sol escaldante, num clima quente e seco, a situação deixaria exaurido qualquer um que se aventurasse a pegar a estrada a pé. Por essa razão, também não era uma hora comum para buscar água no poço; as mulheres costumavam ir nos horários mais frescos do dia.

Aquela não era uma mulher qualquer. Ela seria protagonista de algo além das expectativas. A samaritana deve ter acordado aquela manhã achando que seria um dia comum, penoso para uma mulher que possivelmente era malvista em sua comunidade. Do relato infere-se que ela era moralmente questionável, uma vez que se relacionara com muitos homens, o que fazia dela uma pecadora. Como tal, as demais mulheres não deveriam querer ter nenhum tipo de relacionamento com ela, o que explicaria o fato de ela ter ido ao poço numa hora em que outras estariam em casa cuidando dos afazeres domésticos.

> *Aquela não era uma mulher qualquer. Ela seria protagonista de algo além das expectativas.*

Sentir-se excluída é bastante dolorido. No caso da samaritana, sua conduta não facilitava sua aceitação, o que possivelmente machucava sua alma. Ela não ia apanhar água no mesmo horário que as outras mulheres da comunidade. A hora de ir ao poço deveria ser um momento ímpar na vida das mulheres, pois ali podiam pôr os assuntos em dia e confraternizar com as amigas e vizinhas. Mas não para a pecadora. Um pecador prefere viver nas trevas, escondido, não quer sair à luz, onde seus pecados serão expostos. Por isso, era preferível pegar água quando o poço estivesse deserto, para ficar longe dos olhares de reprovação e dos cochichos.

Nesses momentos difíceis da vida, conhecer Cristo e ter um relacionamento íntimo com ele faz toda a diferença. Jesus perdoa pecados, acolhe o pecador, consola o triste e abatido de espírito e aqueles que se sentem sós.

Não existe uma única pessoa que, com Jesus, não tenha a chance de renovar a vida e reconciliar-se com Deus e o próximo. A samaritana não sabia, ainda, que sua jornada estava prestes a passar por uma mudança radical e que ela estava prestes a receber água viva. Sim, ela nunca mais seria a mesma após bebê-la.

A água viva

Quando me converti a Cristo, logo aprendi uma canção do músico Adhemar de Campos intitulada *Fonte de água viva*, que fala sobre a água oferecida por Cristo:

> Aquele que tem sede busca
> beber da água que Cristo dá.
> Terá dentro de si uma fonte
> que jamais acabará.
>
> A fonte de água viva é o Senhor.
> E a água é o consolador.
> Espírito de vida e louvor.
> Preciso dele.
>
> Tu és o espírito de amor.
> O meu guia e consolador.
> Enche-me do fogo do Senhor.
> Preciso de ti!

Era uma maravilha quando a banda da igreja tocava aquela música. Eu me sentia parte da mesa de Deus, de tudo aquilo sobre o que a canção falava, verdadeiramente lavada e remida pelo sangue de Jesus. Eu me sentia plena em Cristo e muito grata por ele ter-me oferecido a água da vida eterna. A canção é linda e se refere a essa passagem da mulher samaritana, que recebeu de Jesus a água viva, a que só Cristo oferece, a água da graça de Deus!

Quando a mulher chegou ao poço, foi surpreendida pela presença daquele homem. Quem seria? Não era comum haver alguém por ali naquele horário tão quente do dia! Ainda mais um homem! Aparentemente, ele não tinha nenhuma vasilha com que pudesse tirar água. A samaritana se aproximou. Ao avistá-la, ele deveria ter se afastado, como mandava o costume da época, mas não foi isso o que fez. Ela se aproximou e aquele judeu pediu-lhe algo: "Por favor, dê-me um pouco de água para beber" (Jo 4.7).

Pensando sobre a mulher samaritana, suponho que nesse momento ela se viu diante de um impasse tremendo. Aquele contato não poderia ter acontecido entre um homem e uma mulher, ainda mais a sós, e envolvendo um judeu e uma samaritana. Na cabeça daquela mulher devia haver um monte de dúvidas. Como se não bastasse ela ser quem era, alguém com dificuldades de convívio social, agora também corria o risco de ser pega com um homem naquela situação. Era demais. Mas, apesar de surpresa, ela ficou e lhe respondeu, o que deu a Jesus a abertura de que ele precisava.

Aquela não seria uma conversa qualquer. O diálogo entre eles giraria em torno do que há de mais importante para o ser humano: a salvação. Jesus queria oferecer-lhe a reconciliação que viria ao beber da água viva. E mais: ele desejava fazer daquela mulher rejeitada uma mensageira das boas-novas. Para tanto, ela precisava ficar e ouvir o que ele tinha a lhe oferecer. A mulher não se intimidou e, apesar de desconfiada, aceitou ficar e ouvir, tomando a decisão mais acertada de sua vida: render-se aos pés de Jesus.

> *O diálogo entre eles giraria em torno do que há de mais importante para o ser humano: a salvação. Jesus queria oferecer-lhe a reconciliação que viria ao beber da água viva. E mais: ele desejava fazer daquela mulher rejeitada uma mensageira das boas-novas.*

Algo equivalente aconteceu com Dada, minha irmã, que se rendeu ao Senhor na época da Guerra do Golfo, no início dos anos 1990. Sentada em um barzinho, na companhia de algumas amigas, ela estava indignada com a situação no Oriente Médio. Ela não via sentido na briga dos judeus por um tantinho de terra que diziam ter sido dado a eles pelo próprio Deus. "Mas cadê a escritura da terra?", ela perguntava, agitada. Dizer que Deus tinha dado a terra a alguém era um pouco demais para os inteligentes, ela achava. Naquela hora, alguém lhe disse que a escritura estava na Bíblia, no Antigo Testamento. Pela boca dessa pessoa, o que se ouvia era a voz de Cristo, junto ao poço, oferecendo-lhe água viva! Dada, uma intelectual, lembrou-se de uma Bíblia que tinha em casa — presente de sua manicure — que nunca havia sido aberta.

Ao chegar em casa, Dada foi direto apanhar a Bíblia. Abriu-a no livro de Josué. Ela conta que ficou espantada com tantos relatos de brigas, guerras e sangue. Pensou na hora que o mundo estava perdido. Aquele povo era mesmo capaz de começar a terceira guerra mundial. Mas, sem que ela soubesse, Jesus já estava à sua procura e o Espírito Santo já operava em seu coração. Sem que ninguém tivesse pregado para ela, naquele dia, sozinha em seu quarto, Dada parou para ouvir a doce voz de Jesus, bebeu da água viva e se rendeu ao Senhor.

Sua vida mudou completamente. Quando ela releu Josué, com a ajuda do Espírito de Deus entendeu tudo e ficou em paz. Foi uma surpresa muito grande para nossa família e todos os seus amigos. Ninguém compreendia sua mudança. Todos conheciam a Dada intelectual, que questionava tudo e que não se contentava com qualquer explicação à toa. O que tinha acontecido? O que houve é que ela teve um encontro a sós com Jesus, rendeu-se aos seus pés, vivenciou a reconciliação com Deus e aceitou ser uma mensageira das boas-novas, levando muitos da nossa casa a Cristo.

Como é importante a decisão de ser apresentada a Jesus e conhecer os planos de Deus! O plano da salvação é a maior estratégia já elaborada para resgatar vidas e reconciliá-las com a divindade, abrindo, com isso, o caminho para o reino de Deus. A mulher samaritana podia não ser um modelo de santidade, mas estava incluída nesse plano redentor de Deus — como Dada, eu e você. Jesus era o plano divino encarnado: "Assim, a Palavra se tornou ser humano, carne e osso, e habitou entre nós. Ele era cheio de graça e verdade. E vimos sua glória, a glória do Filho único do Pai" (Jo 1.14). Pela graça, a fé brota nos corações e, assim, cremos no Messias, no Salvador de Deus, em Jesus Cristo, naquele de quem diz a música: "A fonte de água viva é o Senhor"!

O diálogo continuou entre Jesus e a mulher samaritana. Ela era curiosa e, por essa razão, questionou Jesus: sendo ele um judeu, como lhe pedia água para beber? Jesus respondeu-lhe que, se ela soubesse quem ele era, lhe pediria água e ele lhe daria água viva. Aquilo a tocou profundamente. Porém, ela ainda não estava compreendendo com clareza as palavras daquele homem, pois ele dizia uma coisa e ela entendia outra.

Quando Jesus oferece "água viva", está se referindo ao que é espiritual, entretanto, a samaritana pensava de forma literal. "'Mas você não tem corda nem balde, e o poço é muito fundo', disse ela, 'De onde tiraria essa água viva?'" E ainda quis defender seu povo contra os judeus: "Além do mais, você se considera mais importante que nosso antepassado Jacó, que nos deu este poço? Como pode oferecer água melhor que esta que Jacó, seus filhos e seus animais bebiam?" (Jo 4.11-12).

Antes de se dar a conhecer, Jesus questiona a samaritana sobre sua vida pessoal e revela sua condição de pecadora, uma mulher que teve muitos homens. Ao fazer isso, ele a confronta com sua necessidade urgente de se reconciliar com Deus. Podemos deduzir que aquela mulher tinha grande carência afetiva, resultado de um grande vazio existencial, o que a levava numa busca desesperada, homem após homem, sem encontrar nada nem ninguém que preenchesse esse vazio. Jesus, então, lhe mostra que só nele ela teria plenitude.

> *Jesus questiona a samaritana sobre sua vida pessoal e revela sua condição de pecadora, uma mulher que teve muitos homens. Ao fazer isso, ele a confronta com sua necessidade urgente de se reconciliar com Deus.*

Finalmente, o Senhor deixa claro para a samaritana quem ele é e por que poderia lhe dar da água que saciaria sua sede espiritual, emocional e afetiva para sempre. Ele era o Messias! Ao se revelar, Jesus abre para aquela mulher a porta da salvação e da reconciliação com o Pai. Ela foi tão impactada por aquilo que levou a notícia para toda a cidade. Muitos vieram a Cristo por intermédio dela, ouviram Jesus e creram: “Então disseram à mulher: 'Agora cremos, não apenas por causa do que você nos contou, mas porque nós mesmos o ouvimos. Agora sabemos que ele é, de fato, o Salvador do mundo'” (Jo 4.42).

Quem entrega a vida a Jesus tem uma missão. Da mesma forma que o Senhor usou aquela samaritana após ela ter se rendido aos seus pés, em nossos dias ele usa as mulheres que se rendem à mensagem do evangelho para testemunhar e ser bênção até os confins da terra. Afinal, os rendidos precisam ser sal da terra e luz do mundo (Mt 5.13-14). Não podemos ficar de braços cruzados esperando que o mundo vá melhorar e que as pessoas acordem repentinamente para Jesus. Os que se rendem a Cristo precisam olhar atentamente para o que acontece no mundo. Os campos estão brancos e prontos para a colheita! Jesus avisou aos discípulos e a nós também: "Vocês não costumam dizer: 'Ainda faltam quatro meses para a colheita'? Mas eu lhes digo: despertem e olhem em volta. Os campos estão maduros para a colheita" (Jo 4.35).

O tempo é de colheita! Fico muito preocupada com a urgência de nossos dias. Não sabemos o dia nem a hora da volta do Senhor, mas ele avisou que sinais aconteceriam. Jesus vai voltar! Precisamos estar preparadas e proclamar a mensagem da salvação ao máximo possível de pessoas, assim como a samaritana fez.

O que você precisa fazer para viver plenamente a reconciliação com Deus? Tão somente render-se aos pés de Jesus.

Para reflexão

1. Com base no exemplo da mulher samaritana, reflita se você se considera uma pessoa plenamente reconciliada com Deus. Por quê?

2. Caso perceba que está distante do Senhor, o que você deve fazer para buscar se reconciliar com ele?

3. Quais passagens da Bíblia podem ser úteis nesse processo?

4. Escreva a sua oração.

____

____

____

____

____

____

Conclusão

Jesus foi o maior revolucionário da história. Sem nenhuma arma, sem dar nenhum tiro, aquele homem abalou os alicerces de um mundo fechado e opressor e transformou a trajetória da humanidade. Com isso, deu ao homem pecador a chance de ter a vida eterna. No que diz respeito às mulheres, então nem se fala! Sempre que leio a Bíblia fico maravilhada, pois vemos em muitas passagens quanto Cristo as abençoou — e abençoa até hoje.

Meu objetivo com este livro é fomentar em cada leitora o desejo de refletir sobre a própria vida, com base na experiência de outras mulheres que se renderam a Jesus. A mensagem cristã de rendição vai contra os valores do mundo, por isso essa é uma proposta revolucionária! Se o mundo diz que os que se rendem são fracos e perdedores, a boa-nova de Cristo nos ensina que devemos render-nos a fim de ganhar. É preciso compreender e proclamar que a verdadeira vitória do cristão não está neste mundo, mas na eternidade que Jesus conquistou para todo aquele que nele crê.

Este é um livro para todas as mulheres que têm no coração o desejo por verdadeiras mudanças, em si mesmas e ao seu redor. Mulheres que almejam aprender e ser curadas no corpo e na alma, seja por meio do perdão, seja pela salvação. Este é um livro para mulheres que querem ter sua vida transformada e, a partir dessa mudança verdadeira, transformar muitas coisas ao redor.

Em seu livro *O que acontece quando as mulheres oram*, a escritora americana Evelyn Christenson escreveu:

> Quando me perguntam: "Como você prepara essas mensagens? Como pode escrever tantas?", tenho de replicar: "Eu não escrevo mensagens, mas tenho um caderno de notas em minha cabeceira todo o tempo. Então, ali deitada, comungando com meu Pai celestial pela manhã, escrevo o quer que ele me diga". Quando acordo, eu digo: "Senhor, estou aqui. O que quer me dizer?". Geralmente penso que sejam ideias para as necessidades imediatas, mas frequentemente ele me dá pensamentos para retiros e mensagens nos meses futuros. Eu os escrevo e os guardo em pastas. Então, quando coloco essas ideias em forma de esboços, é surpreendente ver que Deus me deu cada um dos pensamentos de que irei precisar — na hora certa!".[1]

Aprendi com Evelyn a colocar o meu caderninho de notas na mesinha de cabeceira. Foi ali que escrevi o que o Senhor colocava em meu coração a respeito das mulheres rendidas aos pés de Jesus. Hoje, ao concluir o texto deste livro, minha oração é que eu tenha conseguido escrever do jeitinho que ele me passou.

Oro ao Senhor para que este livro abençoe tanto a sua vida quanto abençoou a minha ao escrevê-lo. O que aprendi com a vida dessas personagens da Bíblia ajudou-me em minha jornada espiritual e aumentou a minha fé. Espero de todo o coração — e faço disso motivo de oração — que ajude você também.

> *O que aprendi com a vida dessas personagens da Bíblia ajudou-me em minha jornada espiritual e aumentou a minha fé. Espero de todo o coração — e faço disso motivo de oração — que ajude você também.*

Olho para nós, mulheres do século 21, e fico analisando para onde estamos caminhando. Fazendo um retrospecto das nossas conquistas até este ponto da história da humanidade, procuro discernir o que foi perda e o que foi ganho. Será que os ganhos foram tão maiores assim? Será que não vendemos a nossa alma por coisas que nos sobrecarregaram ainda mais, nos levaram a um jugo até mais duro e tirano? Será que a liberdade que Jesus nos deu e o valor que nos atribuiu deixaram de ser vistos não só pelos mestres da lei, os fariseus e os saduceus, mas por nós, mulheres, também? Infelizmente, creio que sim.

Com esse receio no coração, procuro esperança nas promessas de Deus. Devemos nos render aos pés do Senhor, assim como fez o salmista, ao dizer: “Não me abandones,

SENHOR; não permaneças distante, meu Deus. Vem depressa me ajudar, ó Senhor, meu salvador!" (Sl 38.21-22).

Certa vez, participei de uma aula no treinamento de líderes para jovens e adolescentes da Mocidade para Cristo (MPC) e o professor era o pastor Ariovaldo Ramos. Um aluno perguntou até onde ia a paciência de Deus, ao que ele respondeu: "A paciência de Deus vai até encher a taça da sua ira e ela transbordar". Penso muito nessas palavras. Será que o ser humano não chegou ao limite e encheu a taça da ira de Deus com tantos pecados?

Se você chegar à conclusão de que a resposta é positiva, só resta uma atitude a tomar: render-se verdadeira e totalmente aos pés de Jesus. Só assim podemos ser sal da terra e luz do mundo e fazer a diferença nesta geração. O que está em jogo são vidas humanas, é a salvação eterna de muitos.

Mulher, você deseja firmar uma aliança sólida, consequente e eterna com o Senhor? Então não se contente com pouco, não se conforme com uma vida de pecados, com um relacionamento meramente religioso com Deus ou com o fato de não exercer nenhuma influência sobre este mundo tenebroso. Renda-se! Renda-se hoje! Renda-se já! Cristo está de braços abertos, esperando.

Agora... só depende de você.

Notas

Introdução

[1] São Paulo: Vida, 2007, p. 146.

Capítulo 1

[1] Belo Horizonte: Redenção, 2001, p. 50-51.
[2] Idem.

Capítulo 2

[1] São Paulo: Vida, 2012, p. 82.
[2] São Paulo: Mundo Cristão, 2016, p. 29.
[3] São José dos Campos: Fiel, 2008, p. 51-52.
[4] São Paulo: Mundo Cristão, 2016, p. 21.
[5] *O grito das incluídas.* São Paulo: Vida, 2012, p. 83.

Capítulo 4

[1] São Paulo: Vida Nova, 2016, p. 34.
[2] São Paulo: Vida Nova, 2016, p. 269-270.
[3] São Paulo: Mundo Cristão, 2015, p. 21.

Capítulo 5

[1] *Milagres e parábolas do Nosso Senhor*. São Paulo: Hagnos, 2016, p. 474.

[2] São Paulo: Mundo Cristão, 2015, p. 34-35.

[3] São Paulo: Mundo Cristão, 2016, p. 237.

[4] *Milagres e parábolas do Nosso Senhor*. São Paulo: Hagnos, 2016, p. 480.

[5] Idem, p. 483.

Capítulo 6

[1] São Paulo: Mundo Cristão, 2016, p. 112-113.

[2] São Paulo: Vida, 1993, p. 18-19.

[3] São Paulo: Vida Nova, 2016, p. 237.

Capítulo 7

[1] *Milagres e parábolas do Nosso Senhor*. São Paulo: Hagnos, 2016, p. 783.

[2] Nina Targino. *Mulheres que comovem o coração de Deus*. São Paulo: Mundo Cristão, 2016, p. 29.

[3] Sharon Jaynes. *Jesus e as mulheres*. São Paulo: Mundo Cristão, 2016, p. 96.

Conclusão

[1] São Paulo: Mundo Cristão, 1999, p. 84-85.

Sobre a autora

Nina Targino é coordenadora nacional do movimento Desperta Débora, da Mocidade para Cristo (despertadebora.com.br). É obreira da Missão Juventude Evangélica Paraibana (Juvep), membro do conselho coordenador da Aliança Cristã Evangélica Brasileira e congrega na Igreja Batista de Tambaú, em João Pessoa (PB). Advogada. Mãe de três filhos e avó de seis netos.

Conheça outras obras de

Nina Targino

- Mães de joelhos, filhos de pé
- Mulheres que comovem o coração de Deus

Veja mais em:

Compartilhe suas impressões de leitura escrevendo para:
opiniao-do-leitor@mundocristao.com.br
Acesse nosso *site*: www.mundocristao.com.br

Equipe MC:	Maurício Zágari (editor)
	Heda Lopes
	Natália Custódio
Diagramação:	Luciana Di Iorio
Preparação:	Cristina Fernandes
Revisão:	Josemar de Souza Pinto
Gráfica:	Assahi
Fonte:	Caxton Bk BT
Papel:	Polen soft 70 g/m^2 (miolo)
	Cartão 250 g/m^2 (capa)

expressou Maria, a jovem escolhida para ser a mãe de Jesus: "Sou serva do Senhor. Que aconteça comigo tudo que foi dito a meu respeito". Este livro reproduz não apenas aquilo que o evangelho promove, mas o que a sua autora vive.

VALDIR STEUERNAGEL

Pastor, doutor em Missiologia pela Escola Luterana de Teologia de Chicago, conferencista e escritor

Este terceiro livro de Nina Targino é o melhor de todos. Num texto prazeroso de ler, ela apresenta nove mulheres como exemplos principais em oito capítulos que tratam da vida de rendição a Jesus. Nina fala do coração e da experiência pessoal, mas com muito estudo, citações e conclusões relevantes e contundentes para a vida das mulheres e dos homens de nossos dias!

BARBARA HELEN BURNS

Missionária e diretora da Escola de Missões Transculturais da Missão Juvep (COM)

As mulheres da Bíblia nos ensinam lições preciosas e Nina Targino facilita o rico aprendizado com este livro de leitura fácil e saborosa. Conhecendo pessoalmente a autora e desfrutando de sua amizade, vejo nesta obra relances de sua vida, rendida aos pés de Jesus. Este livro ajudará muitas mulheres a tomar o mesmo e glorioso caminho de inclinar-se aos pés de Cristo em singela entrega e total rendição. Por isso, encorajo a leitura a todas as mulheres e aos que delas nasceram!

SÉRGIO RIBEIRO

Presidente da Missão Juvep e membro do Conselho Coordenador da Aliança Cristã Evangélica Brasileira (ACEB)

Os evangelhos têm uma marca surpreendente: eles dão voz e espaço àqueles que a sociedade rejeita. No seu tempo, Jesus abre espaço especial para o encontro com crianças e mulheres. Essas passam a receber e ministrar o significado da graça e da experiência com o Mestre, como